Diogenes Taschenbuch 250/11

Friedrich Dürrenmatt

Werkausgabe in dreißig Bänden

Herausgegeben in Zusammenarbeit mit dem Autor

Band 11

Friedrich Dürrenmatt

König Johann
Titus Andronicus

Shakespeare-Umarbeitungen

Diogenes

Umschlag: Detail aus ›Der Bastard tötet in der Schlacht den Herzog von Österreich‹ von Friedrich Dürrenmatt.

Für die vorliegende Ausgabe hat Friedrich Dürrenmatt den Schluß von *König Johann* und den Anfang von *Titus Andronicus* geändert.
Die Beiträge *Zu den vorliegenden Fassungen von ›König Johann‹ und ›Titus Andronicus‹* und *Materialien zu ›König Johann‹ und ›Titus Andronicus‹* hat Friedrich Dürrenmatt eigens für diesen Band geschrieben.

120/80/8/1
ISBN 3 257 20841 3

Inhalt

Allgemeine Anmerkung zu der Endfassung 1980 meiner Komödien

Es ging mir, im Gegensatz zu den verschiedenen Fassungen, die vorher einzeln im Arche-Verlag erschienen sind, bei den Fassungen für die Werkausgabe nicht darum, die theatergerechten, das heißt die gestrichenen Fassungen herauszugeben, sondern die literarisch gültigen. Literatur und Theater sind zwei verschiedene Welten: Außer den Komödien, die ich nur für die Theater schrieb, *Play Strindberg* und *Porträt eines Planeten*, die Übungsstücke für Schauspieler darstellen und die ich als Regisseur schrieb, gebe ich im Folgenden – die ersten Stücke tastete ich nicht an – die dichterische Fassung wieder, eine Zusammenfassung verschiedener Versionen.

F. D.

König Johann

nach Shakespeare

Personen

Johann Plantagenet, König von England
Königin Eleonore, seine Mutter
Isabelle von Angoulême, seine Gemahlin
Blanka von Kastilien, seine Nichte
Konstanze, seine Schwägerin
Arthur Plantagenet, Herzog von Bretagne, sein Neffe
Der Bastard Philipp Faulconbridge, später Sir Richard Plantagenet, natürlicher Sohn des Richard Löwenherz, Johanns Bruder
Lady Faulconbridge, dessen Mutter
Robert Faulconbridge, dessen Bruder
Philipp II., König von Frankreich
Louis, Dauphin von Frankreich
Leopold, Herzog von Österreich
Pandulpho, Kardinal von Mailand, Legat des Papstes Innozenz III.
Graf von Pembroke, Johanns Minister
Chatillon, Philipps Gesandter
Lord Bigot
Lord Essex
Lord Salisbury
Erster Bürger von Angers
Englischer Herold
Französischer Herold
Erster Henker Johanns
Zweiter Henker Johanns
Henker Philipps
Wache Philipps
Bürger, Soldaten, Mönche usw.

Geschrieben 1968
Uraufführung im Basler Theater (Stadttheater)
am 18. September 1968

Erster Aufzug

Erste Szene[1]

Northampton. Ein Staatszimmer im Palast.
König Johann, Königin Eleonore, Blanka, Pembroke, Chatillon.

KÖNIG JOHANN
Nun, Chatillon, sag, was will Frankreich uns?
CHATILLON
So redet Frankreichs König nach dem Gruß
Durch meinen Vortrag zu der Majestät,
Erborgten Majestät von England hier.
ELEONORE
Erborgten Majestät? – seltsamer Anfang.
KÖNIG JOHANN
Still, gute Mutter, hört die Botschaft an.
CHATILLON
Philipp von Frankreich sieht das Recht verletzt.
Drei Brüder starben dir, vor dir geboren:
Der erste Heinrich, Gottfried dann und endlich
Der edle Richard Löwenherz.
ELEONORE
Wir wissen.
Wir haben sie geboren. Laßt den Unsinn.
KÖNIG JOHANN
Still, gute Mutter. Chatillon, fahr fort.
CHATILLON
Philipp von Frankreich fordert an im Namen

Arthur Plantagenets, des Sohnes deines
Ums Reich geprellten ältern Bruders Gottfried,
Dies schöne Eiland samt den Ländereien
Von Irland, Poitiers, Anjou, Touraine, Maine.

ELEONORE

Arthur Plantagenet? Der kleine Arthur,
Kaum lernt er gehen, kaum ist er entwöhnt,
In Windeln noch, erhebt so großen Anspruch?

KÖNIG JOHANN

Still, gute Mutter. Chatillon, sprich weiter.

CHATILLON

Frankreich befiehlt: Gib frei das Erbe Arthurs,
Von dir geraubt und rechtlos ausgeplündert,
Damit dein Neffe es aus deiner Hand
Empfange als dein königlicher Herr.

KÖNIG JOHANN

Und wenn wir dieses weigern, was erfolgt?

CHATILLON Krieg.

KÖNIG JOHANN

Wir haben Krieg für Krieg und Blut für Blut,
Zwang wider Zwang. Wir treffen in zwei Monden
Mit unserer Armee in Anjou ein
Vor Englands Stadt Angers, erwarten Frankreich.
Antworte Philipp das, und nun hinweg.
Gebt ehrliches Geleit ihm auf den Weg.
Besorg's, getreuer Pembroke – Chatillon, leb wohl.

Pembroke geleitet Chatillon hinaus.

ELEONORE

Mein lieber Sohn, das war vorauszusehen.
Ich kenn den Ehrgeiz meiner Schwiegertochter

Konstanze von Bretagne. Mein Enkel Arthur
Soll Englands König sein, nicht du. Drum hetzt
Sie Frankreich und die ganze Welt auf uns.
Das Weib mit ihrem Söhnlein ist gefährlich.

KÖNIG JOHANN

Uns schirmt, was ich besitze und mein Recht.

ELEONORE

Uns schirmt, was du besitzest, nicht dein Recht,
Sonst müßt es übel gehn mit dir und mir,
Denn Recht hat Arthur ebenso wie du.
Warum so schroff mit diesem Chatillon?
Warum so schnell? Es wäre leicht gewesen,
Durch freundliche Vermittlung auszugleichen,
Was die Verwaltung zweier Reiche nun
In einen Krieg verstrickt, der schrecklich kostet.

KÖNIG JOHANN

Die Klöster und Abteien sollen zahlen
Die Kosten dieses Kriegs.

ELEONORE

Das kostet uns
Die Freundschaft Roms.

KÖNIG JOHANN

Es koste sie. Mich kostet
Der Krieg die Ehre und mein Land, fällt mir
Der Sieg nicht zu. Ich muß darauf bestehen,
Daß Frankreich mich als König anerkennt
Und nicht Arthur, ich brauche diesen Krieg,
Und wenn nicht einen Krieg, so doch den Sieg
Der Politik auf meine Drohung hin:
Denn bin ich vor Angers, lenkt vielleicht Frankreich,
Beeindruckt, doch noch ein. Ich muß es wagen.
Durch meines Bruders Richard genial

Verschlampte Heldenwirtschaft kam
Das Land in Unordnung. Der Adel murrt.
Er liebt nicht meine starke Hand. Er will
Die Freiheit, England auszuplündern,
Für sich allein, drum neigt er Arthur zu.
Die Kirche sucht mich zu erpressen, pocht
Auf ihre Pfründe, und des Himmels Gnade
Fließt bloß für bares Geld. Das Volk ist dumpf.
Gesund ist nur das Heer, und diese Waffe,
Bevor sie rostet, muß ich brauchen. Krieg
Den Lords wär Bruderkrieg, er schwächte mich,
Doch Krieg mit Frankreich eint die Nation
Und zwingt den Adel sich zu unterwerfen.

Pembroke kommt zurück.

PEMBROKE
Mein Fürst, hier ist der wunderlichste Streit
Vom Land vor Euren Richterstuhl gebracht,
Wovon ich je gehört. Bring ich die Leute?
KÖNIG JOHANN Ihr Stand?
PEMBROKE Landadliges Pack, Hoheit.
KÖNIG JOHANN Schick sie fort.
ELEONORE Bring sie her.
Komm, lieber Sohn, und setz dich wieder.

Ein Sheriff bringt den Bastard und Robert Faulconbridge.

KÖNIG JOHANN Wer seid ihr beide?
BASTARD
Ich euer treuer Knecht, ein Edelmann
Aus Northamptonshire, und, nach meiner Mutter,
Der älteste Sohn des Robert Faulconbridge,

Den Richard Löwenherz zum Ritter schlug:
Nicht unbegreiflich, langsam schwant es mir.

KÖNIG JOHANN Und du?

ROBERT
Der Erbe und der Sohn desselben Faulconbridge.

KÖNIG JOHANN
Ist das der ältere, der Erbe du,
So scheint's, ihr seid von einer Mutter nicht.

BASTARD
Gewiß von einer Mutter, Majestät,
Das weiß man, ob wir auch von einem Vater,
Die Kenntnis dieses delikaten Punktes
Macht mit dem Himmel aus und meiner Mutter;
Ich zweifle dran, wie jeder Sohn es darf.

ELEONORE
Du schändest deine Mutter, grober Kerl.

BASTARD
Ich, Königin? Ich schände nicht, die mich
Gebar, noch schändet meine Mutter mich,
Mein feiner Bruder fühlt geschändet sich
Durch meine Mutter, die auch seine ist,
Und wenn er es beweist, so prellt er mich
Um mindestens fünfhundert Pfund im Jahr.
Gott schütz mein Land und meiner Mutter Ehre!

KÖNIG JOHANN
Und uns vor deiner Narrheit, Amen. Warum
Denn fordert nun der Jüngere dein Erbe?

BASTARD
Ihm schwant's auch langsam, was mir langsam
schwant.
Vergleicht nur die Gesichter, richtet selbst.
Gesetzt, der alte Herr, Sir Robert, zeugte uns,

Und diese Mißgeburt dem Vater gleicht:

Fällt auf die Knie.

O alter Robert, Vater! Siehe mich
Dem Himmel danken, denn ich gleich dir nicht!

KÖNIG JOHANN

Ein toller Wirrkopf schießt da aus dem Mist.

ELEONORE

Merkwürdig. Er gleicht meinem Sohne Richard.

KÖNIG JOHANN

Jetzt du, der andre Kerl, tritt vor und sprich:
Was forderst du des ältern Bruders Land?

ROBERT

Mein Fürst, kaum war mein Vater Faulconbridge
Mit meiner Mutter frisch getraut, als Euer
Erst jüngst verstorbner Bruder König Richard
Sir Robert plötzlich brauchte –

BASTARD

Ei, Herr, damit gewinnt Ihr nicht mein Land!
Erzählt uns, wie der Held in fernen Kriegen
Und fremden Ehebetten, Richard Löwenherz,
Die plötzlich brauchte, welche meine Mutter wurde.

ROBERT

Der König, plötzlich, schickte meinen Vater
Nach Deutschland, mit dem Kaiser zu verhandeln
Sechs Monde lang in wichtigen Geschäften.
Schief ging es aus, mein Vater war kein Diplomat.
Dem König war es einerlei. Er hatte
Sein Ziel erreicht, er nutzte flugs die Strecke
Von See und Land, die meine Eltern trennte,
Das frisch getraute Paar, verbrachte heimlich
In meines Vaters Hause Nacht um Nacht,
Und dieser muntre Herr da war erzeugt!

Wie solches möglich, schäm ich mich zu sagen.
Doch wahr ist wahr. Sir Robert selbst, im Sterben,
Trug mich als Erben ein ins Testament:
»Der, deiner Mutter Sohn, ist meiner nicht.
Und wenn er's ist, so kam er in die Welt
An zwanzig Wochen vor der rechten Zeit;
An dieses Wunder, Gott, das meine fromme Frau
Und deine Pfaffen mich da glauben machten,
Vermag ich, todesmatt, nicht mehr zu glauben!«
So sprach mein armer Vater und verschied.
Drum gönnt mir jetzt, was mein ist, König Johann,
Des Vaters Land nach meines Vaters Willen.

KÖNIG JOHANN

Das Urteil. Euer Bruder ist ein echtes Kind:
Des Vaters Weib gebar ihn in der Ehe.
Und wenn sie ihn betrog, ist's ihre Schuld,
Worauf es alle Männer wagen müssen,
Die Weiber nehmen. Sagt mir, wenn mein Bruder,
Der, wie Ihr sprecht, sich diesen Sohn erschaffen,
Von Eurem Vater ihn gefordert hätte:
Sir Robert, Freund, sein Kalb von seiner Kuh,
Konnt er behaupten gegen alle Welt.
Das ist Gesetz! War er von meinem Bruder,
So konnt ihn der nicht fordern, Euer Vater
Ihn nicht verleugnen, war er auch nicht sein.
Kurz, meiner Mutter Sohn zeugt Eures Vaters Erben,
Dem Erben kommt das Land des Vaters zu.

BASTARD

Mein Bruder, den Prozeß hab ich gewonnen.

ROBERT

Hat meines Vaters Wille keine Kraft,
Das Kind, das nicht das seine, zu enterben,

Darf ungestraft ein König meinen Vater,
Der doch auch adlig ist, mit Hörnern schmücken
Und ungestraft darauf ein zweiter König
Das Land mir stehlen, weil's ihm so beliebt:
Dann herrscht in England Ungerechtigkeit.

ELEONORE
He, erster Sohn der Lady Faulconbridge.

BASTARD Königin?

ELEONORE Wie heißt du?

BASTARD
Philipp, nach einem Faß von Sohn genannt,
Von einer Tonne Frau, Sir Roberts Schwester.

ELEONORE
Blanka, komm her.

Blanka tritt neben die Königin.

BLANKA
Großmutter?

ELEONORE
Kind, gefällt
Dir dieser junge Bursche?

BLANKA
Er gefällt mir.

ELEONORE
Gar sehr?

BLANKA
Gar sehr, Großmutter.

ELEONORE
Brav mein Kind.
Du aber, junger Faulconbridge, hör zu.
Wir brauchen Männer. Männer für den Krieg.

Du rühmst dich eines Siegs, den deine Mutter
In ihrem Bett entschied. Wohlan denn, wähle:
Was willst du lieber sein, ein Faulconbridge,
Ein reicher Herrscher über Kraut und Rüben,
Vermistet, ohne Bildung, ruhmlos, oder
Von meinem Sohn ein anerkannter Sohn,
Plantagenet wie wir. Dein Los: Wahrscheinlich
Der Tod, der Untergang. Vielleicht der Aufstieg,
Vielleicht noch mehr. Doch Ruhm ist dir gewiß.

Der Bastard kniet.

BASTARD
O Königin, dein Enkel hat gewählt.
Gab mir mein Vater Adel, gebe ich mein Land.
Gesegnet schienen Sonne oder Sterne,
Als man mich zeugte in Sir Roberts Ferne!

ELEONORE
Du bist so kühn wie jener, der dich schuf.

BASTARD
Madame, ich bin ein Wurf aus Eurem Stall.

ELEONORE
Schlag ihn zum Ritter, Johann, es rentiert sich.

König Johann schlägt den Bastard zum Ritter.

KÖNIG JOHANN
Als Philipp kniest du jetzt, erhebe dich erhöht.
Steh auf, Sir Richard und Plantagenet.

Der Bastard erhebt sich.

KÖNIG JOHANN

Sir Faulconbridge, Ihr habt, was Ihr begehrt.
Das Land ist Euer. Laßt Euch nicht mehr sehn.

Robert ab.

KÖNIG JOHANN

Den Arm, verehrte Mutter, gehn wir speisen.

König Johann, Eleonore und Pembroke ab.

BLANKA

Verzeiht, Sir Richard. Ich gestand, daß Ihr
Mir sehr gefällt. Warum nicht? Ich bin reich,
Besitze Anjou und Touraine. Johann
Verwaltet sie, er gäb mich ungern frei.
Wer mich will, der wagt viel. Ich wage mehr:
Ich wag die Hoffnung, daß Ihr alles wagt.

Blanka ab.

BASTARD

Die Lady amüsiert sich gut mit mir.
Sie denkt ans Bett; ich denke, was mir blüht:
Um einen Schritt zur Ehre besser nun,
Doch schlimmer um viel tausend Schritte Lands,
Kann ich zur Dame jede Kuhmagd machen,
Mit der ich schlief, wie's eben kam im Heu,
Und umgekehrt zur Kuhmagd jede Dame;
Und kommt der Stallknecht her, mit dem ich jüngst
Die Nächte durchsoff, muß er höflich grüßen:
»Habt guten Tag, Sir Richard!«, »Dank, Gesell!«

Grüß ich zurück, weil's vornehm ist, statt ihm
Mit einem Tritt den Hintern zu versohlen.
Kommt drauf ein Reisender herbeigelümmelt,
An meiner Gnaden Tisch die Zähne stochernd,
Und ist mein ritterlicher Magen voll,
So trink ich ihm manierlich zu, befrage
Den Schönbart aus der Fremde: »Bester Herr«,
– so auf den Arm mich stützend fang ich an –
»Ich möcht Euch bitten« – das ist Frage nun,
Und schon kommt Antwort wie aus einem Abc-Buch.
Und so, eh Antwort weiß, was Frage will,
Bloß mit dem Hin- und Herkomplimentieren,
Vom Schwatzen von den Alpen und dem Flusse Po,
Von fremden Pferden, Hunden, fremden Puffs,
Erschwinglich und mit Damen für den Adel,
Zieht es sich bis zur Abendmahlzeit hin.
Das ist hochadlige Gesellschaft nun,
Die strebenden Gemütern ziemt, gleich mir.
Doch wen die Mode nicht gedrechselt hat,
Der bleibt ein Bastard, auch wenn er geadelt.
Drum will ich, Bastard, auch ein Bastard bleiben!
Das Spiel mitspielend, das ich wählte,
Nach außen adlig, ganz ein echter Ritter,
Weiß doch mein Sinn, daß alles Hurerei,
Was diese noble Welt in Ehren treibt.
Verstellend mich, um mich nicht zu belügen,
Bleib ich, die Welt belügend, mir so treu,
Erklettere mit kühnen Heldentaten
Der Ehre Hühnerleiter voller Dreck.

Lady Faulconbridge tritt auf.

LADY FAULCONBRIDGE Philipp!

BASTARD

Auch die noch! Meine Mutter! Donnerwetter!
Im Reitkleid und verschwitzt. Nun, gute Frau,
Was galoppierst du denn an diesen Hof?

LADY FAULCONBRIDGE

Wo ist mein zweiter Sohn, der meine Ehre
Vor König Johanns Thron besudeln will,
Um dich um deine Äcker zu betrügen?

BASTARD

Mein Bruder Robert? Alten Roberts Sohn?
Den Riesensohn von einem Riesenvater?
Ist es Sir Roberts Sohn, den du hier suchst?

LADY FAULCONBRIDGE

Sir Roberts Sohn! Du unverschämter Bube,
Sir Roberts Sohn! Was höhnest du Sir Robert?
Er ist Sir Roberts Sohn, du bist es auch.

BASTARD

Sir Roberts Sohn ist fort, Sir Roberts Sohn
Gewann Prozeß und Land, ich bin verarmt.

LADY FAULCONBRIDGE

Bekam dein Bruder recht, ist meine Ehre hin.

BASTARD

Nicht hin, im Gegenteil. Sie leuchtet frei
Und nicht mehr unter einem Bauernschemel.

LADY FAULCONBRIDGE Philipp!

BASTARD

Sir Richard, wenn ich bitten darf.

LADY FAULCONBRIDGE Sir Richard?

BASTARD Der König
Schlug mich zum Ritter, hochgeehrte Mutter.

LADY FAULCONBRIDGE

Wie soll ich das verstehen? Soll das heißen –

BASTARD

Soll heißen, daß wir dich verstehen, Mutter.
Sir Robert konnte etwas: Schweine mästen,
Karfreitags essen und doch Fasten halten.
Er konnte Zoten reißen, unter Röcke greifen
Und beten auch wie du. Doch konnte er mich zeugen?
Nein, Mutter, dazu war er nicht imstande.
Nie half Sir Robert meinen Leib zu machen,
Dies Bein, den Arm, die Schultern, diesen Kopf,
Du weißt es, deine Ehre weiß es auch:
Sir Roberts Sohn, der bin ich nie gewesen.
Ich gab mein Erbe auf, mein Land, mein Geld,
Den Namen und die ehrliche Geburt,
Entsagte all dem wie dem Teufel selbst,
Drum, gute Mutter, nenn mir meinen Vater,
Nur du kennst das Geheimnis und ganz England.

LADY FAULCONBRIDGE

Mein Sohn, ich kann es nicht –

BASTARD

Courage, Mutter.

LADY FAULCONBRIDGE

Dich zeugte König Richard Löwenherz.
Durch lange, heiße Zumutung verführt,
Nahm ich ihn auf in meines Gatten Bett.
Ich bete Tag und Nacht für dich und mich.
Du bist die Frucht von sträflichem Vergehn,
Dem ich, bedrängt, nicht konnte widerstehn.

BASTARD

Sir Robert hin, Sir Robert her, der lahme Kater,
Du bist mit einem Löwen in dein Bett gestiegen
Und machtest mich, statt ehrbar, mit Vergnügen.
Von Herzen, Mutter, dank ich dir für meinen Vater!

Kehr wieder heim nach Faulconbridge und bete weiter,
Doch nicht für dich und mich, für dieses arme Land:
Dich, Mutter, brauchte man zur Lust, den Sohn
Braucht man zum Krieg, doch was die Großen brauchen,
Sie werfen's fort, kaum haben sie's gebraucht,
Wie alte Kleider. Mutter, packt Euch! Geht!
Die schöne Lady Blanka wartet meiner,
Ich muß zu ihr ins Bett, mein Dienst beginnt!

Lady Faulconbridge ab.

Zweiter Aufzug

Erste Szene[2]

Frankreich. Vor den Mauern von Angers.
In der Mitte der Bühne ein Verhandlungstisch.
König Philipp, Dauphin Louis, Isabelle, Konstanze,
Arthur und Chatillon treten auf.

KÖNIG PHILIPP

Zur Lage. Österreich, mit uns verbündet,
Ist eingetroffen, England vor Angers.
Als Antwort auf die Politik, die langsam,
Bald hart, bald weich, sich einen Ausweg sucht,
Erfolgt die überstürzte Landung Johanns.
Wir sind im Recht, doch nicht in Übermacht,
England in Übermacht, doch nicht im Recht.
Bevor der Kampf beginnt, sind eingeladen
Die feindlichen Parteien zu verhandeln.
Vielleicht kann so der Krieg vermieden werden,
Vielleicht sieht Johann seinen Irrtum ein,
Vielleicht geschieht ein Wunder, hoffen wir,
Denn dieser Krieg käm mir zu früh. Verschuldet,
Provinzen rebellieren, schlechte Ernte,
Viel Pech mit teuren Weibern; Österreichs Zug
Hieher ist nur ein Vorwand, unser Land
Zu plündern.

LOUIS

Herzog Leopold von Österreich.

Österreich tritt auf.

KÖNIG PHILIPP

Willkommen vor Angers, mein Österreich.

ÖSTERREICH

Philipp von Frankreich, grüß dich Gott. Mein Dauphin
Und meine Damen, grüß euch Gott.

KÖNIG PHILIPP

Arthur,
Dein edler Onkel Richard Löwenherz
Kam früh ins Grab durch diesen edlen Herzog,
Weil mit der Herzogin dein edler Onkel –
Doch das verstehst du noch nicht, liebes Kind.
Kurz, deinem Onkel war der Herzog böse.
Und nun ist alles wieder gut. Der Herzog,
Auf unser Drängen, kommt mit einem Heer
Von Schweizern und Tirolern anmarschiert,
Um dich zu schützen, für dein Recht zu kämpfen
Und deines unnatürlich schnöden Onkels,
Johanns von England, Anmaßung zu dämpfen.
Umarm ihn, lieb ihn, heiß ihn hier willkommen.

ARTHUR

Gott wird Euch meines lieben Onkels Tod vergeben,
Weil Ihr mir gegen meinen bösen Onkel helft.

LOUIS

Ein edles Kind. Wer stünde ihm nicht bei.

ÖSTERREICH

Ich küsse dich auf beide Backen, Bub.
Verfuhr ich auch mit deinem lieben Onkel
Im Jähzorn halt ein bissel allzu streng,
Ich trage ihm nichts nach, denn tot ist tot,
Vergeben und vergessen, liebes Kind.
Ich will zur Heimat nimmer kehren, bis
Ich deinen andern Onkel, deinen Schurkenonkel,

Den Johann, von der Lumpeninsel fege
Ins Meer und bis dich England König heißt.

KÖNIG PHILIPP
Da kommt Johann. Ich freu mich, ihn zu sehen.
Wir sind dieselbe Rasse, wenn auch Feinde.
Um unsre Zwistigkeiten auszufechten,
Gibt's unsre Völker, gibt's die beiden Heere;
Doch uns, die wir einander hart bedrängen,
Trennt nur Geschäft, nicht Haß. Empfangen wir ihn herzlich.

König Johann, Eleonore, Blanka treten auf, ebenso der Bastard und Pembroke, die im Hintergrund bleiben.

KÖNIG PHILIPP Johann!
KÖNIG JOHANN Philipp!

Herzliche Begrüßung des Hochadels untereinander, Umarmungen, Küsse.

KONSTANZE Großmutter!
ELEONORE Konstanzchen! Arthurchen!
ISABELLE Blanka!
BLANKA Isabelle!
KÖNIG JOHANN
Mein Dauphin! Edler Österreich!
KÖNIG PHILIPP
Familien von England und von Frankreich,
Gegrüßt! Nehmt Platz, Plantagenets, setzt euch,
Ihr Capets. Die Verhandlung ist eröffnet!

Johann und Philipp setzen sich einander gegenüber, Pem-

broke und Chatillon mit dem Rücken gegen das Publikum an den Verhandlungstisch.

KÖNIG JOHANN
Mit Frankreich Krieg, wenn es den Krieg begehrt.
KÖNIG PHILIPP
Mit England Frieden, wenn es Frieden wünscht.
KÖNIG JOHANN Rede!
KÖNIG PHILIPP
Wir lieben England, und wir stürzen uns
In große Kosten bloß um Englands willen,
Sind Waffen doch in diesem Jahre teurer.
Das hättest du uns leicht ersparen können,
Wenn du, wie wir, dein England liebtest. Doch
Was tust du? Du verdrängst den echten König,
Du wirfst die Folge der Regentschaft um,
Du höhnst den Staat und raubst der Krone
Tugend.
Schau hier das Antlitz deines Bruders Gottfried!
Die Stirn, die Augen sind nach ihm geformt,
Der kleine Auszug da enthält das Ganze.
Dies ist sein Sohn, England war Gottfrieds Recht,
Und Gottfrieds Recht ist Arthurs erblich Recht.
Drum, wenn du England liebst, gib England her.
KÖNIG JOHANN
Was unser Recht ist, geben wir nicht hin.
Es krönte uns zum König über England
Der König Richard, unser Bruder, diesen
Zum König krönte unser Vater Heinrich
Der Zweite, selbst ein König. Krönend ein
Plantagenet den andern, wurde so
Die Folge der Regentschaft nie gestört.

Von wem drum, Frankreich, stammt dir deine Vollmacht
Ein Recht zu fordern, das ich nicht verletzte?

König Philipp und Chatillon beraten sich kurz.

KÖNIG PHILIPP Von Gott!
Der setzte mich zum Vormund diesem Knaben.
Aus seiner Vollmacht zeih ich dich des Unrechts,
Mit seiner Hilfe hoff ich es zu strafen.

KÖNIG JOHANN
Wer unrecht hat, beruft sich stets auf Gott.

KÖNIG PHILIPP
Wer unrecht hat, der fürchte sich vor Gott.

ELEONORE
Dann zittere, du ungerechtes Frankreich.

KONSTANZE
Wenn jemand zittern sollte, bist es du.

ELEONORE
Konstanze, Liebling, laß den Ehrgeiz endlich.
Dein Bastard ist kein König, sieh das ein.

KONSTANZE
Mein Sohn ein Bastard! Liebe Schwiegermama,
Mein Bett war immer meinem Gatten treu,
Ob deines auch so treu, bezweifle ich.

ELEONORE
Die Mutter schmäht den Vater ihres Kindes.

KONSTANZE
Du schmähst den Enkel, männertolle Oma.

BLANKA
Für deinen Sohn willst du mein Erbe stehlen,
Touraine und Anjou, sie gehören mir.

KONSTANZE
Gehören Arthur. Dir gehört der Stallknecht,

Der dich beschläft, gib dich mit ihm zufrieden.

ELEONORE Lagerhure.

KONSTANZE Kupplerin.

ÖSTERREICH Schandweib, Luder, Atheistin!

BASTARD Tiroler.

ÖSTERREICH

Zum Teufel, wer ist dieser blonde Strizzi?

BASTARD

Durch einen Teufelskerl das Gegenteil
Von Eurer Hoheit. Denn der Erstbesteiger
Der schönsten Mädchen aller schönen Länder,
Der, hoppla, Euer Weib bestieg, bestieg
Auch, hoppla, meine Mutter. Hahnrei Ihr
Und Bastard ich, gibt eine Rechnung, Kleiner,
Für einen Zweikampf: Was denn besser sei,
Des Hahnreis stets entehrte Ehre oder
Die Ehre eines ehrenlosen Bastards.

KÖNIG PHILIPP

Ihr Narren und ihr Weiber, laßt das Streiten.

Stille.

KÖNIG PHILIPP

Zur Frage! König Johann, trittst du ab,
Im Namen deines Neffen Arthur, England
Samt Irland, Poitiers, Anjou, Touraine, Maine,
Legst du die Waffen nieder?

KÖNIG JOHANN

Niemals!
Getreuer Pembroke.

PEMBROKE Sir?

KÖNIG JOHANN Stell das Heer zur Schlacht bereit.

Pembroke ab.

KÖNIG PHILIPP Chatillon, du auch.

Chatillon ab.

KÖNIG JOHANN
Bevor der Krieg beginnt,
Bitt ich Arthur von Bretagne um Gehör.
Der Knabe trete vor, ich bin sein Onkel.

Die Könige erheben sich.

ARTHUR
Du bist mein böser, nicht mein lieber Onkel.
Mein lieber Onkel war der König Richard.
KÖNIG JOHANN
Dein lieber Onkel Richard Löwenherz, mein Neffe,
War deines Vaters Feind, ich deines Vaters Freund.
An meiner Seite focht dein Vater gegen
Den lieben Onkel Richard, denn es hatte
Dein lieber Onkel Richard sich verbunden
Mit diesem Philipp da von Frankreich, um
Den alten König Heinrich zu entmachten,
Den eigenen Vater, dem dein treuer Vater
Und ich gehorsam waren. In der Schlacht
Dein Vater fiel durch deinen lieben Onkel,
Er starb, durchbohrt von deinem lieben Onkel,
Von Richard Löwenherz. Dein Vater, Kind,
In meinen Armen ist er mir verblutet.
ARTHUR
Du lügst! Mein lieber Onkel tat das nicht!

Mein Vater wurde nicht von ihm getötet.

KÖNIG JOHANN

Ich lüge nicht. Ich bin dein Freund. Dein Feind
Ist König Philipp. Er ist ein Franzose.
Er will durch dich mein Land erobern, das
Auch deines ist. Komm, Kleiner, komm, mein Arthur,
Mit deinem Onkel Johann mit nach England.
Ich habe keinen Sohn, sei du mein Sohn,
Mein großer Sohn.

ELEONORE

Komm her zur Großmama,
Mein Kind.

KONSTANZE

Geh hin zur Großmama, mein Kind!
Gib Königreich an Großmama! Sie gibt dir
Ein Holzschwert, Zinnsoldaten, eine Trommel:
Die gute Großmama!

ELEONORE

Der arme Junge weint.

KONSTANZE

So weine er.

ELEONORE

Die Tränen deines Kindes rühren nicht
Dich Edelnutte. Richards letzter Wille
Schließt deinen Sohn von jedem Anspruch aus!

KONSTANZE

Wer zweifelt dran? Ein Wille, Weiberwille,
Ein böser, tückischer Großmutterwille!

ELEONORE

O du Verleumderin von Erd und Himmel!

KONSTANZE

O du Verbrecherin von Erd und Himmel!

Nein, ich verleumde nicht! Mein armer Sohn,
Er höre sich die ganze Wahrheit an:
Sein Vater starb durch Richard Löwenherz,
Den gegen seinen eigenen Vater du,
Die Mutter, aufgewiegelt hattest. Was
Aus deinem sündenschwangeren Schoße stammt,
Das hetztest du auf deinen Gatten Heinrich,
Weil der bei seiner Rosamunde schlief
Von Clifford, schöner als du Schlampe, du!
Worauf in Kämpfen, Fehden, Überfällen
Sich deine Brut zerfleischte, Söhn' und Gatte!

BASTARD

Ihr Fürsten!

KÖNIG PHILIPP

Was will dieser Fant denn wieder?

KÖNIG JOHANN

Mischt Euch nicht ein in diesen Fürstenstreit,
Bastard.

BASTARD

In diesen Weiberstreit, in diesen
Verwandtenstreit im Haus Plantagenet!
Doch während ihr hier keift und euch beschuldigt,
Sind aufgestellt in Schlachtordnung die Heere.
Ihr, König Philipp, habt die bessere Stellung,
Ihr, König Johann, habt die stärkere Armee.
Doch überlegt, bevor viel tausend Männer
Zur Hölle fahren oder, ist Gott gnädig,
Zwar lebend, aber ohne Arm und Bein,
In Körben in die Sonne glotzen werden,
Bloß Rümpfe noch, entstellt, verbrannt, zerhackt;
Ob nicht den Frieden uns erhalten könnte
Die Wahl des Königs, die ein Dritter trifft.

König Johann geht auf den Bastard zu, betrachtet ihn, schlägt ihm mit der Reitpeitsche die Teetasse aus der Hand. Kehrt darauf zum Verhandlungstisch zurück, setzt sich. (Siehe Anmerkung 2)

KÖNIG JOHANN Der Dritte wäre?
BASTARD Die Bürger von Angers.
KÖNIG JOHANN
Wir haben nichts zu schaffen mit dem Pack.
BASTARD
Das Pack hat um so mehr mit Euch zu schaffen.
Angers gehört zu England, seine Bürger
Sind Eure oder Arthurs Untertanen
Je nach dem Ausgang dieses Streites. Euch
Erdulden sie allein, ob Ihr, ob Arthur
Kassiert, ist ihnen, die bezahlen, gleich,
Und wählen sie, ist es so gut wie würfeln.
Ein Krieg geht ungewiß wie Zufall aus,
Drum braucht den Zufall, laßt Angers entscheiden,
Ihr kommt so Frankreich, es kommt Euch entgegen.
KÖNIG JOHANN
Des Bruders Hurensohn wird noch ein Staatsmann.
KÖNIG PHILIPP
Ein Kuckucksei im Nest Plantagenet.
KÖNIG JOHANN
Na? Setzen wir uns?
KÖNIG PHILIPP
Setzen wir uns wieder.

Die beiden Könige nehmen wieder am Verhandlungstisch Platz.

KÖNIG JOHANN
Wenn in Angers das bürgerliche Pack
Zum König mich erwählt, gibst du dann nach?

KÖNIG PHILIPP
Ich gebe nach. Und wenn es Arthur wählt?

KÖNIG JOHANN
Ich gebe ihm Touraine und Anjou dir.

KÖNIG PHILIPP
Nicht viel.

KÖNIG JOHANN
Mein Heer ist stärker.

KONSTANZE
Die Memmen denken wieder ans Vermitteln.

ÖSTERREICH
Es stinkt nach faulem Frieden. Ich muß handeln.

Österreich unbemerkt ab.

KÖNIG PHILIPP Arthur?

KÖNIG JOHANN Deine Sache.

KÖNIG PHILIPP
Ich kann ihn nicht verraten.

KÖNIG JOHANN
Man kann alles.
Verrätst du Arthur, ich verrate Blanka.
Die Länder, die ich hier verschenke, sind
Die ihren.

KÖNIG PHILIPP
Einverstanden.

KÖNIG JOHANN
Ein Trompeter!

Trompetenstoß.
Auf den Mauern von Angers treten Bürger auf.

ERSTER BÜRGER
Was wollt ihr von uns Bürgern von Angers?
KÖNIG JOHANN Ich, Englands König,
Ich stehe vor Angers mit dreißigtausend.
BASTARD
Bastarde und so weiter.
ERSTER BÜRGER
Das wissen wir schon längst.
KÖNIG PHILIPP Ich, Frankreichs König,
Ich stehe hier mit fünfundzwanzigtausend.
BASTARD
Auch einige Bastarde.
ERSTER BÜRGER
Das ist uns auch bekannt.
KÖNIG JOHANN
Angers ist Englands Eigentum, daher
Sollt ihr entscheiden, Bürger dieser Stadt,
Wer euer Herrscher sei, ich oder Arthur.
KÖNIG PHILIPP
Wen ihr auch wählt, ihr wählt Plantagenet.
ERSTER BÜRGER
Wir sind dem König Englands untertan,
Die Stadt bleibt ihm und seinem Recht bewahrt.
KÖNIG JOHANN
So nennt den Herrscher.
ERSTER BÜRGER
Sir,
Den König können wir nicht nennen. Arthur
Kann's sein, Johann kann's sein, wir warten ab.

KÖNIG PHILIPP
Versteh ich nicht.

ERSTER BÜRGER
Ernennen wir Johann, rächt Philipp sich,
Ernennen wir Arthur, rächt Johann sich.
An wem? An uns. Drum wollen wir nicht wählen,
Die Wahl, ihr Fürsten, müßt ihr selber treffen.
Wir lieben Frieden, weil wir Frieden brauchen
Zu unseren Geschäften. Kommt's zum Krieg,
Führt ihn allein, wir mischen uns nicht ein.

Die Bürger verschwinden wieder.

KÖNIG PHILIPP
Das Pack, Johann, es traut uns nicht.

KÖNIG JOHANN
Verwünscht.
Was sollen wir jetzt tun?

KÖNIG PHILIPP
Die Promenadenmischung rede, unser
Politisches Genie.

BASTARD
Ihr Fürsten, schließt
Den Frieden ohne diese miesen Bürger.
Gebt Johann recht und Arthur neue Rechte.

KÖNIG JOHANN
Ich bin bereit.

KÖNIG PHILIPP
Ich auch.

Pembroke tritt auf.

PEMBROKE

Verrat, mein Fürst,
Und Bruch der Waffenruhe. Schweizer sind
Im Rücken unsres Heeres aufmarschiert.

KÖNIG PHILIPP

Du hast entschieden, Österreich! Der Krieg
Beginnt. England ist eingekreist. Es tut
Mir leid, Johann, doch gib es zu: Es wäre
Ein Wahnsinn, meinen Vorteil nicht zu nutzen.

KÖNIG JOHANN

Du willst den Krieg, du sollst ihn haben, Frankreich.

KÖNIG PHILIPP

Vergebe Gott denn aller Seelen Sünden,
Die heut, bevor es Abend wird, entschweben
Im Kampf um eines Reiches König.

KÖNIG JOHANN

Amen.
Genug gebetet. Zu den Waffen, England!

Alle ab.
Der Bastard ist allein. Wütet.

BASTARD

Sankt Georg, steh uns bei! Der Unsinn siegt!
Du Hahnrei aller Hahnreis, Österreich,
Der Friede gilt dir nichts und nichts Vernunft!
Die Aussicht nur auf Mord und Plünderung
Setzt deinen trägen Geist in trägen Schwung!
Treff ich dich in der Schlacht, so spring ich um
Mit dir, als wärst du deine stramme Gattin
Und ich mein Vater; wälzend uns in einem
Gar tollen Bett voll Kot und Blut und Därme,
Soll dir erkalten deines Leibes Wärme!

Zweite Szene

Frankreich. Vor den Mauern von Angers.
Ein französischer Herold mit Trompetern tritt auf.

FRANZÖSISCHER HEROLD
Ihr Bürger von Angers, weit auf die Tore!
Empfangt Arthur, empfangt Plantagenet,
Den König Englands, euren neuen Herrn,
Denn Sieg, mit wenigem Verluste, spielt
Auf der Franzosen tanzenden Panieren!

Ein englischer Herold mit Trompetern tritt auf.

ENGLISCHER HEROLD
Die Glocken läutet, Bürger von Angers!
Der König naht, Johann Plantagenet,
Gebieter dieses heißen, schlimmen Tags,
Gefärbt vom Niedermetzeln der Franzosen:
Tut auf die Tore, laßt den Sieger ein!

Auf der einen Seite treten auf König Johann, Pembroke, Eleonore und Blanka.
Auf der anderen Seite König Philipp, Louis, Österreich, Isabelle und Chatillon.

KÖNIG JOHANN
Antwortet niemand von den sturen Bürgern?
ENGLISCHER HEROLD Kein Sack.
KÖNIG PHILIPP
Zeigt sich denn keiner von den feigen Krämern?

FRANZÖSISCHER HEROLD Kein Arsch.

König Johann und König Philipp umarmen sich.

KÖNIG JOHANN Philipp!
KÖNIG PHILIPP Johann!
KÖNIG JOHANN
Gib's, königlicher Bruder, zu: Der Angriff
Des rechten Flügels unsrer Reiterei
In deine linke Flanke, das war Klasse.
KÖNIG PHILIPP
Wir geben's zu, wenn England zugibt:
Als unsre Söldner durch die Mitte brachen,
Mit wildem Ungestüm, das war gekonnt.
KÖNIG JOHANN
Dafür versagten dir die Schweizer.
KÖNIG PHILIPP
Dir
Die Schotten. Doch wieviel verlor denn England?
KÖNIG JOHANN Nun, getreuer Pembroke?
PEMBROKE Sechstausend Mann.
KÖNIG JOHANN
Sechstausend? Teufel. Und wieviel denn Frankreich?
KÖNIG PHILIPP Nun, Chatillon?
CHATILLON An siebentausend.
KÖNIG PHILIPP
An siebentausend? Pech. Wir stehen gleich.
So ungefähr. Beginnen wir von neuem?
KÖNIG JOHANN
Trompetet noch einmal, ihr Kerle.
KÖNIG PHILIPP
Blast,
Daß diese Mauern, die uns trotzen, zittern!

Trompetenstöße. Auf der Mauer tauchen die Bürger wieder auf.

ERSTER BÜRGER Was wollt ihr wieder?

KÖNIG JOHANN

Na endlich! Was wir wollen: Die Entscheidung.

KÖNIG PHILIPP

In England, Bürger, sprecht, wer ist nun König?

ERSTER BÜRGER

Den König Englands kennen wir noch nicht.

KÖNIG PHILIPP

Kenn ihn in Uns, die Wir sein Recht vertreten!

KÖNIG JOHANN

In Uns, sind Wir doch Herr von euch und England!

ERSTER BÜRGER

Ihr Fürsten, von den Türmen sahen wir
Den Angriff und den Rückzug beider Heere
Von Anfang bis zum Ende: Ihre Gleichheit
Scheint ohne Tadel unsrem schärfsten Blick.
Blut kaufte Blut und Stärke stand der Stärke.
Sie sind sich gleich, wir beiden wohlgesinnt.
Bis einer überwiegt, bewahren wir
Die Stadt für keinen und für beide doch.

Der Bastard tritt auf.

BASTARD

Ihr Fürsten!

KÖNIG PHILIPP

Himmel, wieder dieser Bankert.

BASTARD

Die Bürger von Angers verhöhnen euch.

Sie stehn auf ihren Zinnen sorglos da,
Wie im Theater gaffen sie und zeigen
Auf euer emsig Schauspiel voller Tod.
Doch seid ihr Fürsten besser? Eure Gnaden
Betrachten sich zu Pferde und in Sänften
Mit Kennerblick vom sichern Hügel Wut,
Gemetzel, Tod, Gebrüll, Gestöhn der Männer,
Die eure Untertanen sind, für euch
Mit Flüchen gotteslästerlich verbluten.
Und Helden gibt es nicht. Nur Opfer.
Bei Beelzebub, beim Satan, Scheitan oder
Wie sonst der Teufel heißt, ich warf mich mitten
Ins Kampfgewühl, ich säbelte Tiroler-
Und Schweizerköpfe tonnenweis'. Warum?
Weil ich den Herzog suchte, meinen Hahnrei!
Wo finde ich das Bürschchen, sauber, nicht
Bespritzt mit Blut, als käme es vom Schmause?
Bei euch, ihr Fürsten! Darum macht jetzt Schluß
Mit eurem Krieg, er ist der unsre nicht.
Die Bürger von Angers, die können nicht
Den Frieden schließen, also schließt denn ihr ihn!

ÖSTERREICH

Wozu der Unsinn? Es ist Krieg, ihr Fürsten!
Soll denn der Friede stets gerettet werden?
Was schwankt ihr hin und her? Was zählt ihr Tote,
Die niemand auferweckt? Braucht, wer noch lebt,
Den Krieg durch Krieg in Frieden zu verwandeln!

BASTARD

Der Hahnrei schweige. Dieser Krieg muß enden.
Durch Heirat wird der Friede jetzt geschlossen.

KÖNIG JOHANN

Durch Heirat? Wer soll wen?

KÖNIG PHILIPP
Wir sind gespannt.

BASTARD
Die Tochter da von Spanien, ihr Fürsten,
Ist Englands Nichte: Schauet auf die Jahre
Des Dauphin Louis und der schönen Lady.
Wenn heiße Liebe nach der Schönheit geht,
Wo fände sie die heißer als in Blanka?
Wenn keusche Liebe nach der Tugend strebt,
Wo fände sie die keuscher als in Blanka?
Und fragt die Liebe gar nach blauem Blut,
Wes Blut strömt blau wie das der Lady Blanka?
Nur das des Dauphins, er ist gleich wie sie,
Wenn nicht an Tugend, so doch an Geburt.
Drum paart die beiden, und ihr habt den Frieden.

KÖNIG PHILIPP
Geht leider, leider nicht. Der Dauphin Louis
Ist Isabelle von Angoulême verlobt,
Die Irland, das sie erbte, Arthur überschrieb,
Und außerdem ist sie noch meine Nichte.

BASTARD
Noch besser. König Philipp, schlagt die Nichte
Von Angoulême dem König Johann zu,
Der nehme sie zur Königin von England.

KÖNIG PHILIPP Ein Vorschlag.

ELEONORE Eine Lösung.

BLANKA
Ihr Fürsten, Onkel Johann, wohl, ich weiß,
Es ziemt sich nicht für eine junge Lady,
Zu reden in so hohem Rat. Doch geht
Es hier um mich, mein Geld und meine Länder.
Ich liebe Sir Richard, den Bastard Richards.

Ich liebe ihn und er ist mir versprochen
Von König Johann selbst zum Gatten. Niemals
Laß ich von ihm, denn ich bin keine Ware,
Die man verhandelt. Ich bin euresgleichen.
Verfügen könnt ihr über eure Völker,
Doch über mich und meine Liebe nicht.
Ich bin Plantagenet, und ich bin frei.

BASTARD

O schöne Blanka, glaubt mir, einem Bastard,
Glaubt einem Mann ein einzig Mal in Eurem,
Gott geb es, Leben voller Glück, ich liebe
Euch auch, wie man so sagt, von ganzem Herzen,
Wie Redensart. Wir trieben's heiß
Die Nächte durch, ich bin mit Euch zufrieden.[3]
Doch füreinander, wunderschöne Lady,
Auf dieser Welt sind wir geschaffen nicht.
Im Bette eines armen Ritters, Lady,
Ihr wäret glücklich bis zum nächsten Morgen,
Denn andern Tags schon fändet Ihr die Länder,
Die Ihr geerbt, auf England überschrieben,
Weil eines Bastards Weib nicht erben kann.
Denkt ans Geschäft und nicht an unsre Liebe,
Die könnt Ihr ebenso wie ich verschmerzen;
Denkt auch ein wenig an die wunde Welt,
Die Frieden braucht. Dazu, piekfeine Lady,
Ist Euer Leib gemacht, die weißen Brüste,
Der Schoß, die Schenkel, daß sich Politik
Mit solchen Schätzen ihren Frieden schaffe.
Drum geht zu Louis, diesem fetten Gockel,
Halbschwul, doch geil nach Euch und Euren Ländern.
Besteigt sein Bett, vergeßt mich, laßt mich frei.
Tut Eure Pflicht als blaues Blut, Mylady.

Wenn nicht, vergießt Ihr Meere roten Bluts
Von vielen Tausend armen Teufeln.

LOUIS Vater,
Die Lady Blanka, sie gefällt mir sehr.

KÖNIG JOHANN Mutter,
Wär nur die Angoulême ein wenig schöner.

ELEONORE
Sohn, nimm den Vorschlag an, gib Blanka her,
Nimm auch die Angoulême zum Weibe. Mut,
Ist sie auch etwas schief, sie ist dir nützlich.

ISABELLE
Ich liebe meinen Louis, möcht nicht tauschen.

LOUIS
Ich liebe Euch auch, Isabelle, und ewig,
Doch hier bestimmt die Pflicht, nicht das Gefühl.

KÖNIG JOHANN
Na? Setzen wir uns?

KÖNIG PHILIPP
Setzen wir uns wieder.

Die beiden Könige nehmen wieder am Verhandlungstisch Platz.

KÖNIG JOHANN
Warum führst du den Krieg? Was ist dein Ziel?
Es gibt nur eins. Du willst die Länder, die
Durch meine Mutter Englands Eigentum
Geworden sind, Gebiete reich an Korn
Und Wein und Wäldern, Frankreichs schönster Teil.
Besitzt ihn Arthur, muß er ihn dir lassen.

KÖNIG PHILIPP
Ich handle nur aus Freundschaft.

KÖNIG JOHANN
Freundschaft biete
Ich auch und mehr als Freundschaft. Poitiers, Anjou,
Touraine und Maine gehören meiner Nichte.
Die Länder fallen Louis zu und dir.

KÖNIG PHILIPP
Dein Angebot geht weit.

KÖNIG JOHANN
Ich brauche
Legalität und nicht Besitz in Frankreich.

KÖNIG PHILIPP
Und Arthur?

KÖNIG JOHANN
Er sei Herzog von Bretagne.

KÖNIG PHILIPP
Ein bloßer Titel.

KÖNIG JOHANN
Doch ein schöner Titel.

KÖNIG PHILIPP
Der Handel klappt. Ich gebe Isabelle
Zur Mitgift Irland, es sei damit dein.
Ich anerkenne dich zum König Englands.

KÖNIG JOHANN Einverstanden.

KÖNIG PHILIPP Einen Trompeter.

Trompetenstoß.

KÖNIG PHILIPP
Ihr Fürsten, unsre beiden großen Reiche
England und Frankreich schließen hiermit Frieden.

KÖNIG JOHANN
Auf ewig. Und durch eine Doppelhochzeit
Verbünden wir uns gegen alle Welt.

Auf den Mauern tauchen wieder die Bürger auf.

ERSTER BÜRGER

Angers, ihr Fürsten, öffnet weit die Tore,
Es läßt den Frieden ein, den ihr gestiftet!

KÖNIG PHILIPP

Angers, den Bürgern dieser Stadt
Entgegnet Frankreichs König so: Durch Heirat
Ist diese Stadt gesetzlich Dauphin Louis
Und damit Uns, dem Vater, zugefallen.
Doch weil ihr keine der Parteien wähltet
Und weder warm noch kalt wart, laue Hunde,
Seid jetzt bestraft. Wir fordern England auf,
Als Freunde unsre Kräfte zu vereinen,
Um so gemeinsam dies Angers zu schleifen.

KÖNIG JOHANN

Na schön, wir segnen dieses Pack mit Blei.

KÖNIG PHILIPP

Ihr schweren, mauerbrechenden Kanonen,
Geladen bis zur Mündung, feuert los,
Bis die Verheerung Angers nackend läßt
Wie die gemeine Luft; um dann, wenn das
Vollbracht – die Stadt ein Trümmerhaufen bloß,
Verbrannt, zerschossen, ausgeplündert, leer –,
In den Ruinen unsre Fürstenhochzeit
Mit Prunk und großer Frömmigkeit zu feiern.

ERSTER BÜRGER

Ihr Fürsten, Gnade, haltet ein mit Wüten!
Wir boten Frieden, lassen euch herein!

KÖNIG PHILIPP

Die Antwort, Bürger: Saust ins Grab, ihr Krämer!
England, von welcher Seite greifst du an?

KÖNIG JOHANN
Von Norden. Pembroke, geh.
ÖSTERREICH
Von Süden ich.

Österreich und Pembroke ab.

KÖNIG PHILIPP
Von Osten wir. Mit Gott denn zur Vergeltung!

Alle ab außer König Johann und dem Bastard.

KÖNIG JOHANN[4]
Rasieren, Bastard.
BASTARD
Bitte.

Bastard ab.

KÖNIG JOHANN
Meine Braut
Die Angoulême ist häßlich wie die Pest,
Doch ich bin König. Rüste mich zum Fest.

Setzt sich. Der Bastard kommt mit einem kleinen Tisch und Rasierzeug, beginnt König Johann einzuseifen.

BASTARD
Mein König, Tollheit ist's, Angers zu strafen!
Wofür? Weil es in eure Händel sich
Nicht mischen wollte, wird es ausgelöscht!
Wozu der Unfug? König Philipp straft
Sich selber. Diese Stadt ist sein, die Steuern
Gehören ihm.

Der Bastard rasiert den König.

KÖNIG JOHANN

Der Unfug, den ihr tadelt,
Ist Frankreichs Sache, meine nicht. Philipp
Will sich aus Laune diese Tollheit leisten.
Er leiste sie sich. Doch auch Ihr, Sir Richard,
Ihr leistet Euch die Tollheit abzuweisen,
Was ich aus Gnade Euch versprochen habe:
Lady Blanka.
Nun schön. Daß Ihr verzichtet habt, war klug.
Politisch half es mir. Doch menschlich, Neffe,
Bin ich enttäuscht, verzeihe ungern.

BASTARD

Sir,
Ich weiß, die schöne Nichte Lady Blanka
Ist mehr für Euch als eine Nichte.

KÖNIG JOHANN

Neffe,
Seid bitte deutlich.

BASTARD

Sir, als junges Weib
Von einem armen Bastard läge Euch
Die schöne Lady Blanka gut gebettet.

KÖNIG JOHANN

Sie liebt Euch.

BASTARD

Noch. Doch eines Königs Schwüre
Und eines Königs Geilheit, die mit Gold
Und Schmuck nicht sparen, tauen mit den Wochen
Die Tugend auf der tugendreichsten Lady.
Ein Bastard bleib ich auch als Euer Neffe,

Doch meines Onkels Hahnrei, diese Ehre,
Die steht mir nicht, die möchte ich vermeiden.

König Johann nimmt das Rasiermesser aus der Hand des Bastards und rasiert sich selbst weiter.

KÖNIG JOHANN
Ihr kennt mich, Neffe, geb ich zu. Ich hoffte
Mit Euch die schöne Blanka einst zu teilen.
Was einem Bastard zukommt, kommt, ich meine,
Auch einem König zu. Wir reden offen.
Als Bastard bleibt Ihr Bastard, Ihr erkennt es,
Und böte ich Euch auch den Herzogstitel:
Ihr bleibt ein Nichts, der Griff nach Unsrer Krone
Ist Euch verwehrt, obgleich Plantagenet;
Und laß ich Euch am nächsten Galgen baumeln,
Kein Finger rührt sich, niemand setzt sich ein
Für Euer Recht, weil Recht Ihr keines habt.
Ihr habt nichts als die Treue, die Ihr mir
Geschworen, die Euch aus dem Kuhmist hob
An meine königliche Seite. Neffe,
Ihr seid an mich gebunden, ich an Euch.
Ein Bastard findet diese Welt im argen.
Der Makel seiner Abkunft macht ihn so.
Er will die Welt verbessern. Doch das Werkzeug
Zum beßren Bau kann nur ein König sein
Wie ich. Drum bin ich Euer Werkzeug jetzt,
Ihr habt kein andres, Ihr jedoch seid meins,
Durch Euch allein ist meine Macht zu sichern,
Weil ich allein nur Euer sicher bin,
Weil ich nur Euch vertrauen kann in England,
Nebst Pembroke noch, doch der ist subaltern.

Verachtend acht ich Euch, verachtend achtet
Ihr mich. Ihr seht, ich kenn Euch auch, Sir Richard.
Wir sind ein kühnes Paar, glaubt mir, verflucht,
Einander stützend, dieser Welt zu trotzen.

Mächtiger Donner, die Stadtmauer fällt zusammen.

KÖNIG JOHANN
Doch kommt. Angers ist hin. Bereiten wir
Zur Fürstendoppelhochzeit uns, zum Frieden.

Beide ab.

Dritter Aufzug

Erste Szene

Frankreich. In Angers vor der zerstörten Kathedrale. Soldaten stellen einen großen Tisch auf, decken ihn, stellen die Speisen auf. Gehen ab.
Konstanze und Arthur treten auf.

KONSTANZE
Sich so vermählt! Den Frieden so geschworen!
Falsch Blut vereint mit falschem! Freunde nun!

Setzt sich rechts außen, umklammert ihren Sohn.
Pembroke und Österreich treten auf.

PEMBROKE
Der Ratshaustisch, gedeckt zum Fest. Er macht
Sich gut vor der zerstörten Kathedrale.
Bloß stört der Brandgeruch, und Leichen liegen
Auch noch herum, schleppt sie davon, marsch,
marsch!

Soldaten schleppen Leichen über die Bühne.

ÖSTERREICH
Was gibt es denn zu essen?
PEMBROKE
Suppe, Hähnchen,
Fasan, Forelle, Krammetsvögel, Ferkel,
Vom Spieß ein Kalb, ein Ochse –

ÖSTERREICH

Keine Knödel?

Setzt sich, beginnt zu essen.

KONSTANZE

Was wird aus dir, mein Kind, was wird aus mir!
Wir sind verkauft!

ARTHUR

Sei ruhig, liebe Mutter.

KONSTANZE

Wärst du, der mich beruhigt wünscht, abscheulich,
Häßlich und schändend für der Mutter Schoß,
Lahm, albern, bucklig, hasenschartig, schwarz,
Mit ekelhaften Mälern ganz bedeckt,
Dann fragt ich nichts danach, dann wär ich ruhig,
Dann würd ich dich nicht lieben, und du wärst
Nicht wert der hohen Abkunft noch der Krone.
Doch du bist jung und königlich, dich schmückten
Natur und Glück vereint bei der Geburt.
Da muß dein Glück dir schnöd den Rücken kehren
Und buhlen mit dem Scheusal, deinem Onkel,
Durch Weiberumtausch Frankreich gar verführen,
Dein Recht auf Englands Thron in Grund zu treten!

ÖSTERREICH *essend*

Ich bin bestürzt, Madame, ich bin empört.
Nie hätte ein Tiroler oder Schweizer
So abgefeimt wie Frankreich jetzt gehandelt!

Aus der Kathedrale kommt der Hochzeitszug. König Philipp führt Königin Eleonore, König Johann Isabelle, Dauphin Louis Blanka, es folgen der Bastard, Pembroke, Chatillon.

KÖNIG PHILIPP

Nehmt Platz, ihr Lieben, seht, die Hochzeitstafel
Ist reich gedeckt. Konstanze, kommt, komm, Arthur,
In unsre Mitte. Freut euch, es ist Friede!

Alle setzen sich.
Konstanze und Arthur bleiben abseits.

KÖNIG PHILIPP

Ihr Töchter, Söhne, dieser Tag soll jährlich
Gefeiert werden als ein Tag des Friedens.
Er ist ein Tag des Geistes auch, der über
Die sündige Natur gesiegt, ein Tag,
Dem christliche Besinnung Segen brachte.

KONSTANZE

Ein Sündentag und nicht ein Feiertag!
Was hat der Tag verdient und was getan,
Daß er mit goldnen Lettern im Kalender
Als eins der hohen Feste sollte stehn?
Nein, stoßt ihn aus der Woche lieber aus,
Den Tag der Schande, der Gewalt, des Meineids.
Und bleibt er stehn, laßt schwangre Weiber beten,
Nicht auf den Tag ins Wochenbett zu kommen,
Daß keine Mißgeburt dem Schoß entschlüpfe!

KÖNIG PHILIPP

Beim Himmel, Fürstin, Ihr habt keinen Grund,
Dem schönen Vorgang dieses Tags zu fluchen:
Kommt, eßt!

KÖNIG JOHANN

Die Suppe ist vorzüglich.

KÖNIG PHILIPP

Spült
Den bittren Zorn mit süßem Wein hinunter.

KONSTANZE

O welch ein Hohn, Euch so zu sprechen hören!
Ihr wolltet meiner Feinde Blut vergießen,
Und nun vermischt Ihr Eures mit dem ihren.

ELEONORE

Ich trink bewegt auf Frankreich, bin ich doch
Französin von Geburt. Mein erster Gatte
War König Philipps Vater Ludwig Capet.
Der gute fromme Louis! Leider klappte
Die Ehe nicht, ich gab mich Heinrich hin
Von England samt den Ländern, die ich erbte,
Darunter auch Angers, die schöne Stadt.
Darum der Zwist. Er ist nun beigelegt,
Erstickt in Kissen heißer Ehebetten.
Mein Wunsch jetzt, daß ihr Kinder glücklich seid,
Zeugt und gebärt zu unsrer Häuser Vorteil!
An meine Brust denn, Frankreich, nimm den Kuß!

Eleonore und König Philipp umarmen sich.

KONSTANZE

Straf, Himmel, straf die eidvergeßnen Fürsten,
Hör eine Witwe, sei mein Gatte, Himmel!
Laß nicht die Stunden dieses bösen Tags
In Frieden hingehn. Eh die Sonne sinkt,
Entzweie diese königlichen Schurken,
Die schmausen, trinken, als wär nichts geschehen,
Höre mich, Himmel, höre mich, mein Gott!

Der Kardinal Pandulpho tritt auf.[5]

PANDULPHO

Um Gottes willen, schließt noch keinen Frieden!

Um Gottes willen, schließt auch keine Ehen!

KÖNIG PHILIPP

Die Ehen und der Friede sind geschlossen.
Herr Kardinal, Ihr kommt zu spät.

PANDULPHO

Geschlossen. Eine Katastrophe!

KÖNIG PHILIPP

Nehmt Platz. Ihr seid erschöpft. Die Krammetsvögel
Sind zu empfehlen.

PANDULPHO

Speisen? Jetzt? Den Bauch
Mit Suppen füllen und mit Fleisch, statt beten,
Daß diese Christenheit der Geist erleuchte?

KÖNIG JOHANN

Auf Euer Wohl!

Trinkt Pandulpho zu.

Wer seid Ihr, Pfaff?

PANDULPHO

Ich bin Pandulpho, Kardinal von Mailand,
Und von Papst Innozenz Legat allhier.
Dir, König Johann, gilt des Papstes Botschaft,
In seinem Namen stell ich dich zur Rede,
Warum du unsrer Mutter, unsrer Kirche,
Die Klöster und Abteien hart besteuerst
Und ihnen wehrst, den Zehnten und die Zinsen
Von ihrer frommen Herde einzuziehen.
Du stellst damit die Weltordnung in Frage,
Das christliche Gefüge, das der Himmel
Der sündigen Natur zur Rettung schenkt,
Betreut vom Papst und durch ihn von den Fürsten.

ÖSTERREICH

Fasan! Ich möchte noch Fasan!

KÖNIG JOHANN
Wer wagt mich zu verhören, Kardinal?
Kein Name ist auf Erden zu ersinnen,
Geschweige denn ein Name, der so leer,
So würdelos und lächerlich wie der
Des Papstes. Melde das und füge bei:
Kein welscher Priester solle fürderhin
In England Zinsen einziehn oder Zehnten.
Wie nächst dem Himmel Wir das höchste Haupt,
So wollen Wir auch diese Oberhoheit
Nächst Gott allein verwalten, um zu herrschen,
Ohn allen Beistand Roms und seiner Glatzen.
Das sag dem Papst, die Scheu beiseit gesetzt
Vor ihm und seinem angemaßten Ansehn.

KÖNIG PHILIPP
Mein Bruder, damit lästerst du!

ÖSTERREICH
Und nun vom Ferkel!

KÖNIG JOHANN
Sei's!
Ob alle Könige der Christenheit
Der schlaue Pfaff so gröblich irreführt,
Daß sie den Fluch, den Geld kann lösen, scheuen
Und um den Preis von schnödem Gold, Kot, Staub,
Verfälschten Ablaß kaufen von dem Schwindler,
Der mit dem Ablaß ihn für sich verscherzt;
Ob du, wie alle, gröblich mißgeleitet,
Die heilige Gaunerei mit Pfründen duldest,
Will ich allein, allein, den Papst nicht kennen
Und seine Freunde meine Feinde nennen!

ÖSTERREICH
He! Wein! Füllt mir den Humpen!

PANDULPHO

Dann durch die Macht, die mir das Recht erteilt,
Bist du verflucht und in den Bann getan.
Gesegnet soll der sein, der los sich sagt
Von seiner Treue dir, du Ketzer, gegenüber,
Und jedermann soll man verdienstlich heißen,
Kanonisieren und als Heiligen verehren,
Der durch geheime Mittel aus dem Weg
Dein schändlich Leben räumt. Du aber, Frankreich,
Laß fahren England, kehr dein Heer Johann
Entgegen, töte seinen Stamm, sein Volk.
Wenn er nicht selber Rom sich unterwirft!

ÖSTERREICH

Der Ochse schmeckt phantastisch.

KONSTANZE

Der Himmel selbst hat eingegriffen: Krieg!

ELEONORE

Du, Vampir, willst nur Blut!

KÖNIG PHILIPP

Ich bin verwirrt.

PANDULPHO

Wer auf die Kirche hört, ist nicht verwirrt.

KÖNIG PHILIPP

Setzt Euch an meine Stelle, Kardinal.
England und Frankreich, diese beiden Reiche,
Sind durch die Ehen Johanns und des Dauphins
Mit Isabelle und Blanka jetzt verbündet,
Und diesen Bund, den haben wir geschworen;
Doch eben vor dem Frieden, kurz zuvor,
Kaum daß wir noch die Hände waschen konnten,
Der Himmel weiß es, waren sie betüncht
Vom Blute des Gemetzels und des Mords;

Und diese Hände, kaum vom Blut gesäubert,
In Liebe neu vereint und Politik,
Sie sollen lösen Druck und Freundesgruß?
Die Treu verspielen? Mit dem Himmel scherzen?
Die Völker narren, denen wir befehlen?
Den Frieden wieder in den Krieg verwandeln?
O frommer Vater, laßt es so nicht sein,
Ersinnt für England eine mildere
Bestrafung, seid nicht allzu hart und grausam,
So wollen wir euch, Rom, dem Papste gern
Zu Willen sein und eure Freunde bleiben.

ÖSTERREICH

Das Kalb ist zäh, der Ochse ist mir lieber.

PANDULPHO

Unordentlich ist jede Anordnung,
Die Englands Anmaßung noch unterstützt.
O daß dein Schwur, dem Himmel erst getan,
Dem Himmel auch zuerst geleistet werde!
Er lautet: Streiter deiner Kirche sein.
Doch was du jetzt geschworen, ist dawider,
Du schwurst im Namen Gottes gegen Gott.
Wobei du schwörst, dagegen schwörest du.
Die späten Eide gegen deine frühen
Sind so in dir Empörung wider dich;
Und keinen größeren Sieg kannst du erlangen,
Als wenn du deine spätern Eide leugnest.
Der Himmel helfe dir. Wir beten dafür.
Hältst du jedoch am Bündnis fest mit England,
So wird der Bann dich treffen, schwerer noch,
Als er jetzt England trifft. Drum sei gehorsam.

ÖSTERREICH

Salat.

KÖNIG PHILIPP
Johann Plantagenet, es tut
Mir leid. Ich kann mir einen Bann, wie du
Ihn dir zu leisten können scheinst, nicht leisten.
Ich muß fromm sein, weil meine innern Feinde,
Die Herzöge von Flandern und Burgund,
Noch frömmer sind. Rom könnte auf sie setzen.
Das wär mein Untergang, das mußt du einsehn.
Ich muß dem Papst gehorchen, und der Papst
Hat hier entschieden: Zwischen uns ist Krieg!
KÖNIG JOHANN Frankreich,
Dich reut die Stunde, ehe sie verstreicht.

Alle erheben sich, außer Österreich, der weiter ißt.

ÖSTERREICH
Noch einmal Suppe. Suppe mag ich immer.
KONSTANZE
Ich bin erhört, ich fluchte nicht vergebens.
ELEONORE
Dein Fluch wird dich auch treffen![6]
KÖNIG JOHANN
Neffe, geht,
Zieht schnell das Heer zusammen.
BLANKA
Ein Wort noch diesem noblen Herrn. Sir Richard,
Ihr gabt mich, die ich Euer, hin dem Frieden.
Ihr warft mich diesem Dauphin zu wie ein
Stück Fleisch dem ersten besten Köter, der
Aus Zufall über Euren Weg lief. Seid
Bedankt, daß Ihr die Welt zu bessern trachtet.
Ihr habt Gewaltiges erreicht, mein Beifall.

Erst sank Angers in Staub, nun stehen England
Und Frankreich sich noch tödlicher verhaßt
Als vor dem faulen Frieden gegenüber,
Das Meer von Blut verdoppelnd, das zu meiden
Ihr vorgabt. Gott mit Euch, Sir Richard. Im
Verhurten Bett des Dauphins denk ich Euer
Als aller Narren allergrößter. Ich
Fluch Euch und mir. Ich liebte Euch so sehr,
Da habt Ihr schändlicher geschändet mich
Als je der Krieg die arme Welt –

Der Bastard wortlos ab.

KÖNIG PHILIPP
Louis, schaff Kind und Weiber fort.

KÖNIG JOHANN
Getreuer Pembroke,
Führ meine Mutter und die Angoulême
Ins Lager.

Alle ab außer König Philipp, König Johann, Pandulpho und Österreich, der weiter frißt.

ÖSTERREICH
Ich habe keinen Wein mehr! He! Bedienung!

Schenkt sich selber ein.

ÖSTERREICH
Noch was vom Ochsen! Dieser Ochse war
Das Beste.

Stutzt.

ÖSTERREICH

Was ist los? Will keiner essen?
Was will denn plötzlich dieser Kardinal?
Weshalb ging alles weg? Wozu? Ist Krieg?

KÖNIG JOHANN

Frankreich, wir werfen Unsere eigene
Person in diese Schlacht. Wir hoffen dich
Zu treffen, wo man Männer trifft, im Kampf.

KÖNIG PHILIPP

Im Kampf? Du bist beleidigt? Nimmst persönlich,
Was unumgänglich durch die Politik?
Das kann dein Ernst nicht sein, mein lieber Freund,
Im Kampfe wäre scheußlich. Doch von einem
Zum andern Feldherrnhügel grüßend, wollen
Wir sehen, welchen von uns zwein bevorzugt
Die Hure Glück.

Geht mit ausgebreiteten Armen auf König Johann zu, doch der geht ab.

KÖNIG PHILIPP

Den Segen, Kardinal.

Der Kardinal segnet ihn.

ÖSTERREICH

Amen. Ihr könnt mir, wenn ich was begreife.
Hauptsach, der Krieg ist wieder aufgepäppelt!

Zweite Szene[7]

Ebenda. Der Bastard mit dem Kopf Österreichs und Arthur treten auf.

BASTARD

Arthur gefangen! Richard Löwenherz
Gerächt! Der Kopf des Hahnreis meine Beute!
Da! In die Suppenschüssel, Österreich!
Vergeblich dampfte sie zum Friedensmahle,
Sie sei jetzt deine Urne! Aufgerieben
Vom Feinde, rieben wir den Feind auf. Nach
Angers uns treibend, flüchtet König Philipp
Le Mans entgegen.

Deckt den Kopf in der Suppenschüssel zu. König Johann mit Gefolge tritt auf.

KÖNIG JOHANN

Sieg, Triumph, ihr Lords!
Mein Neffe Arthur unser!

BASTARD

Sir, zehntausend Mann
Sind uns verreckt.

KÖNIG JOHANN Scheußlich, scheußlich.
Es war ein Sieg, wenn auch ein knapper Sieg:
Doch dieser Knabe macht den Sieg gewaltig.

BASTARD

Ihr ließet unser Lager ungeschützt.

KÖNIG JOHANN

Ich weiß, ich weiß, ein Fehler. Arme Mutter!

Durch meine Schuld fiel sie in Frankreichs Hände.
Ich war verwirrt. Der Kampf von Mann zu Mann
Mit bloßem Schwert ist meine Sache nicht.
Ich hasse Krieg im Grunde, meine Lords.
Ich stehe blutbesudelt da als wie
Ein Metzger, watete durch Schlamm und Kot
Wie irgend so ein Krautbaron vom Lande.

PEMBROKE
Herr Chatillon mit einer weißen Fahne.

Chatillon mit einer weißen Fahne und einer Krücke tritt auf.

KÖNIG JOHANN
Du gehst mit einer Krücke, Freund.

CHATILLON
Der Krieg war blutig, Sir.

KÖNIG JOHANN
Das kann man sagen.

CHATILLON
Er war für beide eine Katastrophe.

KÖNIG JOHANN
Du definierst vortrefflich.

CHATILLON
Jahre
Wird dieser Krieg noch dauern, Sir.

KÖNIG JOHANN
Jahrzehnte.
Wie geht es König Philipp?

CHATILLON
Leider, Sir,
Durch einen schweren Sturz vom Pferd erschüttert.

KÖNIG JOHANN
Dauphin Louis?
CHATILLON
Verletzt.
KÖNIG JOHANN
Der Kardinal?
CHATILLON
Der humpelt, Sir.
KÖNIG JOHANN *lacht*
Wie du.

Will sich Suppe schöpfen, hebt den Suppenschüsseldeckel auf und erblickt den Kopf Österreichs.[8]

Und Österreich
Ist tot.

Deckt die Suppenschüssel ernüchtert wieder zu.

Die Welt ist aus den Fugen.
CHATILLON
Ziemlich.
Als Diplomat habt Ihr nicht sehr vernünftig
Gehandelt. Ich bin offen, Sir, verzeiht.
Der Krieg war leicht vermeidbar. Was
Der Kardinal von Euch verlangte, nun,
Ein Kloster weniger geplündert, sei's
Zum Scheine nur, die Antwort bloß ein wenig
Konzilianter, und zufrieden wäre
Der Kardinal nach Rom zurückgereist.
KÖNIG JOHANN
Ich hatte eine schlechte Laune.
Die Ehe mit der schiefen Angoulême
Macht sie begreiflich. Hätte Frankreich doch
Im Kampfe die entführt statt meine arme Mutter!

CHATILLON
Die Mutter, Sir, die könnt Ihr wieder haben.
KÖNIG JOHANN
Großartig. Pembroke, holt die Angoulême!
Macht schnell. Wir tauschen aus.
CHATILLON
Nicht Isabelle, Sir,
Wünscht Frankreich auszutauschen.
KÖNIG JOHANN
Nicht die Nichte?
Die schiefe Nichte nicht, den Liebling Philipps?
Sein Augenstern, sein Isabellchen nicht?
CHATILLON
Sie ist und bleibt die Eure, Sir, auf ewig.
Gebt Arthur her, und Ihr habt Eure Mutter.
KÖNIG JOHANN
Ich liebe meine arme Mutter, bleibe
Ihr jüngster, treuer Sohn. Doch melde Frankreich,
Ich ließe mich durch keine Bande noch
So teuren Bluts erpressen.
CHATILLON
Tötet Ihr
Den Knaben, Sir, so stirbt Euch Eure Mutter.
KÖNIG JOHANN
Und Arthur, Chatillon, der stirbt, wenn ihr
Mir meine Mutter tötet. Nehmt und bindet
Den lahmen Kerl aufs nächste Pferd, hetzt es
Le Mans entgegen, König Philipp zu.
CHATILLON
Ich protestiere.
KÖNIG JOHANN
Besser,

Du sorgst dich, Chatillon, um deine Reise.
Gar leicht schleift dich das Pferd zu Tode! Fort!

Chatillon wird abgeführt.

KÖNIG JOHANN
Ihr Lords, nach England. Unser Heer vermag,
Geschmolzen, sich in Frankreich nicht zu halten.
Arthur ist Euer, Bastard. Ihr habt ihn
Gefangen und Ihr haftet für sein Leben.
Doch seht Euch vor, ich bin es nicht allein,
Der ihm den Tod noch wünschen könnte. Hütet Euch,
Was ihn am Leben hält, ist Politik,
Die kann sich ändern über Nacht. Ein Zug
Erzwingt den Gegenzug. Der kleine Kerl
Verstand, die große Welt in Brand zu setzen.
Die Schachfigur im Spiel, die fällt, ist er
Nur allzu leicht. Brecht auf! Der Insel zu!

Alle ab.

Dritte Szene[9]

Le Mans. Kapelle.
Links in drei Betpulten (von links nach rechts) Louis (mit verbundenem Kopf), Konstanze (mit Rosenkranz), König Philipp (mit verbundenem Arm). Links außen Pandulpho in seiner Sänfte, die als Beichtstuhl benützt wird. Wer nicht vor dem Kardinal kniet, betet. Wenn in den Betstühlen miteinander gesprochen wird, wird die Gebetshaltung beibehalten.

König Philipp kniet vor dem Kardinal nieder, beichtet.

KÖNIG PHILIPP Vater.
PANDULPHO Sohn.
KÖNIG PHILIPP Die Schmerzen. Bestialisch.
PANDULPHO Wieviel Mann verloren wir?
KÖNIG PHILIPP Wieviel Mann verloren wir?
LOUIS An fünfzehntausend.
KÖNIG PHILIPP
Entsetzlich. Fürchterlich. Ein schlimmes Blutbad.
PANDULPHO
Die Seelen sind bei Gott.
KÖNIG PHILIPP
Das hoff ich stark.
PANDULPHO
Es war ein Sieg, wenn auch ein knapper Sieg.
KÖNIG PHILIPP
Laßt mich mit Eurem knappen Sieg in Ruh.
PANDULPHO
Die Mutter Johanns ist gefangen.
KÖNIG PHILIPP
Und?
Was zählt das alte Scheusal? Arthur zählt!
Den haben wir verloren, den hat England.
Weshalb? Der Johann focht wie ein Berserker.
Bin schwer enttäuscht. Da hat man Differenzen
Mit einem Freund, hochadlig wie wir selber,
Führt etwas Krieg, was tut er? Tötet, mordet,
Stößt Menschen nieder! Eigenhändig, als
Wär er ein Henker, Feldherr oder Söldner;
Und hat die Frechheit noch, mich zu besiegen,
Als ob ich ihn nicht fair behandeln würde,

Fiel' er in meine Hand. Bin degoutiert.
Bei Gott! Am nächsten Fürstentage rede
Ich mit dem Kerl kein Wort mehr, keine Silbe.

PANDULPHO
Sieh auf der Kirche Heil, nicht auf der Menschen Tun.

Segnet ihn. König Philipp erhebt sich.

KÖNIG PHILIPP
Verflucht, mein Arm.

PANDULPHO
Nicht fluchen, Majestät.

König Philipp kniet in seinen Gebetstuhl.

KONSTANZE
So endet Euer Friede! Seht mich an.

KÖNIG PHILIPP
Wir sind mit Euch verzweifelt, Fürstin.

KONSTANZE
Ihr
Habt eine Schlacht verloren, weiter nichts.
Für Euch nicht schlimmer als ein Pferderennen,
Bei dem Ihr falsch gewettet. Ich verlor
Den Sohn. Ich bin verzweifelt. Ihr seid's nicht.
Ihr tröstet Euch bei Euren Kurtisanen.

Erhebt sich, geht zu Pandulpho, kniet nieder.

KONSTANZE Vater.

PANDULPHO Tochter.

KONSTANZE
Für mich gibt's keinen Trost.

PANDULPHO

Geliebte Tochter, betet, schweigt
Und betet. Tollheit redet so, nicht Gram.

KONSTANZE

Ich bin nicht toll, o wollte Gott, ich wär es!
Denn ich vergäße dann mich selbst und sähe
In einer Lumpenpuppe meinen Sohn.
Doch, Kardinal, da ich bei Sinnen bin,
So zeige mir den Weg aus meinem Schmerz.

PANDULPHO

Nur beten, beten.

KONSTANZE

Beten nützt nichts, Vater.
Lehr mich, mich aufzuhängen, mich zu pfählen,
Die Brüste auszureißen, mich zerstückeln
Und meinen Schoß mit heißem Blei versiegeln,
Dem Himmel, der mich schuldlos straft, mit Schuld
Gerecht zu werden, denn es hieße lästern,
Wollt ich noch länger leben ohne Sohn.

PANDULPHO

Ihr übertreibt.

KONSTANZE

Und du hast keinen Sohn.

PANDULPHO

Was auch geschieht, das kommt von Gott. Jetzt geht.

Segnet sie. Konstanze geht in ihren Gebetstuhl zurück.

KÖNIG PHILIPP

Kommt Zeit, kommt Rat.

KONSTANZE

Kommt Zeit, kommt Mord.

KÖNIG PHILIPP
Zu fürchten habt Ihr nichts,
Verehrte Fürstin.

KONSTANZE
König Philipp,
Ihr habt schon einmal meinen Sohn verraten,
Und ist es für Euch vorteilhaft, verratet
Ihr ihn ein zweites Mal. Mein Sohn, auch wenn
Er lebt, ist tot. Ich war so stolz auf ihn.
Ich wollte aus ihm einen König machen.
Das war mein Fehler. Könige sind Mörder.
Nun sind sie seine Mörder.

KÖNIG PHILIPP Wache.

WACHE Herr?

KÖNIG PHILIPP Geleite die Fürstin auf ihr Zimmer.

KONSTANZE
Ihr schafft mich fort, ich bin Euch lästig.

Erhebt sich.

Verflucht sei Frankreich und sein falscher König.
Verflucht Dauphin Louis, verflucht sein Anspruch,
Und deine schwarze Seele, roter Vater,
Sie fahr mit deinem Amt zur Hölle.

Wache mit Konstanze ab. Louis geht zu Pandulpho, kniet nieder.

LOUIS Vater.

PANDULPHO Sohn.

LOUIS Konstanze,
Sie tut mir leid.

PANDULPHO
So redet nicht

Ein Fürst, mein Sohn. Lernt, was der Himmel plant,
Zu tragen ohne Leid, er plant für Euch.

LOUIS

Ihr redet rätselhaft.

KÖNIG PHILIPP

Er redet klar.

PANDULPHO

Mein Sohn, Ihr seid noch reichlich unerfahren.
Johann hat Arthur in Gewalt, jedoch
Der eine ist dem anderen im Wege.
Will Johann stehn, muß Arthur fallen. Also
Fällt Arthur; dessen Tod ist unabwendbar.

LOUIS

Was soll mir Arthurs Tod?

PANDULPHO

Ihr, kraft des Rechtes Eurer Gattin Blanka,
Erhebt den Anspruch, den einst Arthur machte:
Der König Englands folglich seid dann Ihr.

LOUIS

Johann ist unbesiegbar, Eminenz.

PANDULPHO

Wie neu Ihr seid in dieser alten Welt.
Besiegbar sind wir alle. Alle fallen.
Auch Johann fällt, die Zeit begünstigt Euch.
Der Tod des jungen Prinzen wird England
Von Johanns Unrecht so sehr überzeugen,
Daß, wenn sich nur der kleinste Vorteil regt,
Sein Reich zu stürzen, man ihn gern ergreift.
Und, glaubt mir altem Mann, es brütet noch
Viel Besseres sich aus: Johann, in Bann,
Geht jetzt nach England, plündert Kirchen leer,
Brennt Klöster nieder, höhnt die Frömmigkeit,

Verwandelt stille Wut in offnen Aufruhr.
Zu Eurem und zu unsrer Kirche Gunsten
Dreht sich die Politik.

LOUIS
Seid Ihr so sicher?
Wir haben Johanns Mutter. Sie zu schonen,
Wird Johann Arthur leben lassen.

PANDULPHO
Möglich.
Drum zwingen wir ihn besser.

KÖNIG PHILIPP Wache.

Die Wache tritt auf.

WACHE Herr?

KÖNIG PHILIPP Führ die Königin Eleonore
Zum Henker. Er soll sie erdrosseln.

Pandulpho segnet Louis.

Vierte Szene

Le Mans. Verlies.
Königin Eleonore, kahlgeschoren, sitzt auf einem Hocker.
Ein Henker.

HENKER
Der Priester wartet draußen.

ELEONORE
Schick ihn fort.

Gott kennt mein Leben, und ich kenn es auch.
Ein dritter braucht es nicht zu wissen.

HENKER

Madame, verweigert nicht die Letzte Ölung.

ELEONORE

Die Kirche, welche Frankreich schmierte, braucht
Mich nicht zu ölen.

Konstanze tritt auf.

ELEONORE

Kind, was willst du?

KONSTANZE

Du
Hast dich gerächt. Dein Sohn hat meinen Sohn
Gefangen.

ELEONORE

Dich hast du gerächt. Mein Sohn
Hat mich verraten. Aus Berechnung war
Das Lager ungeschützt,
Mit Absicht überließ er mich dem Feind,
Ich war dem Fleisch von meinem Fleisch im Wege.

KONSTANZE

Johann wird Arthur töten.

ELEONORE

Mich tötet Philipp, damit Arthur sterbe
Und er durch meine Nichte England erbe.
Wir beide haben ausgespielt, mein Kind.
Wir haßten uns, wir boten Heere auf,
Um wider uns zu streiten. Tausende
Fraß dieser Zwist um unsren Wurf. Wir liebten
Gewalt und Männer, schworen, brachen Treue,

Betrügend wurden wir betrogen. Alles
Ist nun vorbei. Macht, Ehrgeiz, Reichtum, Ruhm
Und Liebe auch. Da sitz ich alte Vettel
Dir kahlgeschoren gegenüber, stinkend,
Dem Henker zubereitet, kalt und häßlich.
Mein Ende ist das deine. Wäre ein
Gefühl in mir, ich würde dich bedauern.
Ich sterbe gern, doch du mußt weiterleben
In dieser leeren Welt, ein Leib,
Der nur gebar, um Schlächtern Fleisch zu liefern,
Ein Opfer deiner Tat wie ich der meinen.

Konstanze sinkt zusammen.

ELEONORE Geh jetzt. Laß mich allein.

HENKER

He! Fürstin!

Untersucht sie.

Tot. Mit einem Dolch.

ELEONORE *erhebt sich*

Ich denke,
Ich bin jetzt an der Reihe, Henker.

Vierter Aufzug

Erste Szene

Nacht.
Northampton. Im Turm einer Burg.
Der Bastard und Arthur.
König Johann und zwei Henker treten auf.

KÖNIG JOHANN
Sir Richard.
BASTARD
Sir.
KÖNIG JOHANN
Ich schickte Euch die zwei da
Schon dreimal zu.
BASTARD
Ich weiß.
KÖNIG JOHANN
Und dreimal habt Ihr sie gehindert,
Zu tun, was nötig ist, zu tun.
BASTARD
Ich weiß.
KÖNIG JOHANN
Ihr zwingt mich, diese zwei da zu begleiten.
BASTARD
Ich hafte für das Leben Arthurs.
KÖNIG JOHANN
Mir
Habt Ihr geschworen, ihn zu schützen, Bastard.

Den Schwur, den habt Ihr wieder. Seid bedankt.
Doch nun zu dir, Arthur Plantagenet.

ARTHUR
Ich hasse dich.

KÖNIG JOHANN
Plantagenet haßt immer
Plantagenet. Die Sippe stinkt nach Mord.
Der Bastard, der dich fing, ist ein Plantagenet,
Und ich, der ich dich habe, bin's. Du bist
Der dritte. Schlimm für einen von uns drein.
Komm her.

Arthur geht zu König Johann.

KÖNIG JOHANN
Dein Alter?

ARTHUR
Acht.

KÖNIG JOHANN
Das Kind ist mutig. Ein Plantagenet
Ist immer mutig. Dummheit, weiter nichts.
Beklopfen wir den Neffen. Schultern, Arme.
Die Brust. Das Monstrum ist gesund. Gebiß –
Na so was! Dieses Kerlchen beißt!

Wirft Arthur den Henkern zu. Ein Henker holt aus.

KÖNIG JOHANN
Noch nicht.

Der Henker hält inne.

ARTHUR
Du willst mich töten, böser Onkel.

KÖNIG JOHANN
Möglich.

ARTHUR
So töte mich.

KÖNIG JOHANN
Geduld. Ich habe Nachricht,
Aus Le Mans: deine Mutter ist gestorben.

ARTHUR
Du lügst.

KÖNIG JOHANN
Sie gab sich selbst den Tod.

ARTHUR
Du lügst.

KÖNIG JOHANN
Du zitterst.

ARTHUR
Meine Mutter ist nicht tot.

KÖNIG JOHANN
So tot wie meine. Tot wie Aas.

BASTARD
Sir, quält
Den Kleinen nicht.

KÖNIG JOHANN
Ich quäl ihn nicht. Ich
Zertrete ihn.

BASTARD
Sir, laßt ihn leben.

KÖNIG JOHANN
Und wozu?

BASTARD
Vielleicht
Kann Euch sein Leben nützen.

KÖNIG JOHANN

Mehr sein Tod.

BASTARD

Es ist vernünftiger.

KÖNIG JOHANN

Vernunft! Vernunft!
Stets kommt Ihr mit Vernunft, und ich gehorche!
Die Ehe mit der schiefen Angoulême
Geschah im Namen der Vernunft, mit Blanka
Verschenkte ich dem Feind Poitiers, Anjou,
Touraine und Maine. War das Vernunft?

BASTARD

Das Spiel
Ist grausam, das Ihr spielt. Ein Fehler noch,
Und die Plantagenets sind eine Sage.

KÖNIG JOHANN

Ihr zwei da macht das Kerlchen nieder.

BASTARD

Halt!

Zieht das Schwert.

Wollt Ihr sein Leben, Sir, so holt Euch meines.

Die beiden Henker weichen zurück.

KÖNIG JOHANN

Ihr droht dem König, Bastard.

BASTARD

Warum, Sir,
Ließ König Philipp Eure Mutter töten?
Weil Philipp Eure Rache wollte. Euch
Schob er die Tat zu, die Ihr, ihm gehorsam,
Begehen wollt. Er wünscht den Tod des Kleinen

Sehnsüchtiger als Ihr. Laßt Ihr Arthur
Am Leben, dessen Tod der Welt gewiß
Erscheint, verhindert Ihr den Anspruch Frankreichs
Auf Englands Thron.

Arthur nützt das Zögern der Henker aus und läuft zum Bastard.

BASTARD
Hört weiter. Anerkannt
Seid Ihr noch immer nicht. Man nennt Euch offen
Thronräuber Eures Neffen; dieses Schwert,
Gezielt auf Eure Brust, könnt Euch durchstoßen;
Das Volk würd mich, den Held, auf Schultern tragen.
Ihr seid so rechtlos jetzt wie ich als Bastard.
Ein jeder sinnt auf Euren Untergang.
Der Adel rüstet heimlich, sammelt Truppen.
Gar manche junge Ritter fielen vor
Angers, gar mancher Vater will sich rächen,
Gar mancher Bruder, und die Priester hetzen,
Verhetzt durch Rom, die Bauern auf. Die Liebe
Und Hoffnung aller: Arthur. Arthur habt Ihr.
Er ist ein Pfand in Eurer Hand. Er schützt
Euch vor dem Aufstand aller. Laßt Ihr jedoch
Die Henker Arthur niederstoßen, flattern
Die Lords wie Gänse zum Dauphin hinüber,
Und Euer Volk, das flattert ihnen nach.
Ihr seid verloren, wenn Ihr Arthur tötet.

KÖNIG JOHANN Ihr zwei da.

DIE HENKER Sir?

KÖNIG JOHANN
Streut das Gerücht aus, Arthur sei
Von euch erdrosselt worden. Hier.

Wirft ihnen Geld zu.
Verschwindet.

Die Henker ab.

KÖNIG JOHANN
Ihr überzeugtet mich, Bastard. Arthur
Plantagenet mag leben.
Schlägt Arthur zweimal ins Gesicht.
Ist er hier
In Sicherheit?
BASTARD
Der Turm ist hoch. Die Flucht
Unmöglich. Die Bewacher sind mir treu.
KÖNIG JOHANN
So kommt. Die Lords empfang ich morgen zur
Beratung. Ihren Stolz herauszufordern,
Erscheine ich zum zweitenmal gekrönt
Vor allem Volk in feierlichem Umzug,
Zum Zeichen, daß ich über England herrsche
Durch meine Macht und Euren klugen Rat,
Sir Richard. Lebe wohl, Plantagenet.
Ich stelle dich, ist diese Nacht vorbei,
Dem überraschten Hofe vor, mein Kerlchen,
Als meinen lieben, treuumhegten Neffen.

König Johann und Bastard ab. Arthur bleibt allein zurück.

Zweite Szene

Sturm. Gewitter.
Northampton. Ein Staatszimmer im Palast.
König Johann und Pembroke treten auf.
König Johann legt Krone und Mantel ab.

KÖNIG JOHANN
Ihr seid durchnäßt, getreuer Pembroke?
PEMBROKE
Bis auf die Knochen. Doch bei gutem Wetter
Die Krönung wäre eindrucksvoll gewesen.
KÖNIG JOHANN
Der Sturm war nicht vorauszusehen. Wein
Und was zu essen.
PEMBROKE
Wein her für den König
Und was zu essen für den König!

Diener bringen einen Sessel und einen Tisch, Wein und Fleisch.
Essex, Bigot, Salisbury treten in Rüstungen auf.[10]

ESSEX
Scheiße!
SALISBURY
Bei diesem Wetter rostet meine Rüstung.
Sie ist ganz neu, in Mailand hergestellt
Mit einem Bruststück aus Konstantinopel.
BIGOT
Bei Blitz und Donner unter Hagelschauer
Sich krönen lassen: Eine Schnapsidee.

KÖNIG JOHANN
Ihr trieft vor Nässe, meine Lords, doch unter
Dem Krönungsbaldachin war es ganz trocken.

SALISBURY
Es schiffte bloß auf Eure Untertanen.

BIGOT
Zwei Stunden mußte ich in einer Pfütze knien.

ESSEX
Ich friere. Eine Decke.

PEMBROKE
Eine Decke
Für Lord Essex.

Ein Diener bringt eine Decke.

SALISBURY
Verdammter Panzerschurz.

ESSEX Nicht
Zu fassen dieser Unfug. Niemand weiß,
Wozu denn diese Krönung nötig war:
Hoheit sind längst gekrönt!

KÖNIG JOHANN
Ihr edlen Lords,
Nicht unvergnügt sehn Wir euch mißvergnügt.
Die Krönung war zum zweitenmal notwendig,
Weil bei der ersten Uns ein Priester krönte.
Jetzt setzen Wir Uns selbst zum König ein,
Nur Gott gehorsam und nicht einem Papst.
Das war der Sinn der Handlung, die euch kränkt.

BIGOT
Es scheint, sie kränkte nicht nur uns, Hoheit:
Wer gegen unsre Kirche demonstriert,

Benötigt dringend gutes Wetter, sonst
Sieht man in jedem Blitz des Himmels Zorn.

ESSEX
Ich bin erkältet! Schnaps und heißes Wasser.

PEMBROKE
Bringt Schnaps und heißes Wasser für den Lord.

Ein Diener bringt Essex Schnaps und heißes Wasser.

ESSEX Mein Gott, ich schlottere.

BIGOT Himmelarsch, die Schiene quetscht.

SALISBURY
Mir klemmt das Kinnreff, holt mir einen Schlosser.

PEMBROKE
Den Schlosser für die Lords.

Ein Schlosser kommt.

BIGOT
Die Frömmigkeit war Eure Sache nie,
Wir wissen, Hoheit. Doch das Volk ist fromm.
Es lebt zwar arm, gewiß, doch spendete
Die Kirche Trost und gab ihm eine Hoffnung.
Ihr unterdrückt die Kirche, plündert Klöster,
Verjagt die Priester. Eure Untertanen
Sind ohne Letzte Ölung und Vergebung.
Drum wundert Euch nicht, Hoheit, wenn das Volk
Für eine Posse Eure Krönung hält.

KÖNIG JOHANN
Lord Bigot, Eure Frömmigkeit ist neu.

BIGOT
Ich denke an das Volk.

ESSEX
Ans arme Volk.

SALISBURY
Bedrängt von königlicher Willkür. Du
Verdammter Hurensohn, du tust mir weh!

Schlägt den Schlosser nieder.

KÖNIG JOHANN
Bedrängt von eurer Willkür. Euch, ihr Lords,
War eine neue Steuer auferlegt,
Dem Volke nicht, doch zahlen mußte sie
Das Volk.

ESSEX
Wer sonst? Das Volk ist dazu da.
Ihr brauchtet eine neue Steuer, Hoheit,
Durch einen Krieg. Wozu? Der Knabe Arthur
Hat gleiches Recht wie Ihr. Der Krieg war sinnlos.
Ihr solltet Eure Macht mit Arthur teilen.
Doch Haß gehorcht nicht der Vernunft, sie braucht
Gewalt, und die, noch fremder der Vernunft,
Braucht Mord.

KÖNIG JOHANN
Was wollt Ihr damit sagen, Essex?

ESSEX
Das wissen Hoheit.

BIGOT
Euer Volk glaubt längst
Arthur ermordet, doch wir zögerten
An einen Mord zu glauben, der den Himmel
Verfinstert und die Erde beben macht.

SALISBURY
Wir haben, Hoheit, uns geirrt.

KÖNIG JOHANN

Pembroke, schenkt ein.

PEMBROKE

Einschenken.

Ein Diener schenkt dem König Wein ein.

KÖNIG JOHANN

Meine Lords,
Ich trinke auf den jungen Prinzen Arthur
Plantagenet.

BIGOT

Ihr lästert.

KÖNIG JOHANN

Auf sein Wohl
Und auf sein langes Leben!

PEMBROKE

Chatillon!

Chatillon wird in einer Sänfte auf die Bühne getragen.

CHATILLON

Johann Plantagenet gilt Frankreichs Gruß.

KÖNIG JOHANN

Und Philipp Capet gilt der unsre. Sei
Willkommen, Chatillon. Du hast den Ritt
Vor einem Jahr nach Le Mans glücklich, wie
Wir sehen, überstanden.

CHATILLON

Beide Beine
Sind mir seitdem gelähmt.

KÖNIG JOHANN

Das tut mir leid.

CHATILLON

Drum bin ich glücklich, dir, England, zu melden:
In Kent ist König Philipp jetzt gelandet
Mit einem Heer von zwanzigtausend Mann,
Um seinen Sohn Louis, den Gatten Blankas,
Der Erbin der Plantagenet, zum König
Von England auszurufen.

KÖNIG JOHANN

Mit Erstaunen
Erfüllt uns deine wunderliche Rede.
Woher nimmt Frankreich denn sein Recht zu so
Absonderlichem Einfall?

CHATILLON

Arthurs Tod
Zu rächen.

KÖNIG JOHANN Arthurs Tod?

CHATILLON

Ihr habt ihn längst
Ermordet.

KÖNIG JOHANN

Frankreich irrt.

ESSEX

In einem nur.
Zwar nicht im Tatbestand, doch in der Zeit.
Arthur ist letzte Nacht erdrosselt worden.
Zwei Henker haben ihre Tat gestanden.
In Eurem Auftrag, Hoheit, und in Eurer
Anwesenheit verübten sie den Mord.

SALISBURY

Die Tat ist offenbar. Es hilft kein Leugnen.

BIGOT

Der Heiland ist zum zweitenmal gekreuzigt,

Du hast den wahren König hingerichtet.

KÖNIG JOHANN

Pembroke, der Bastard?

PEMBROKE

Diener melden, er
Sei eben mit den Seinen eingetroffen.

KÖNIG JOHANN

Entspräche diese Tat der Wahrheit, hätten
Wir unsren Neffen freventlich ermordet,
Dann, wahrlich, hätte Frankreich recht, mein Reich
Fiel' Louis zu, wir senkten eigenhändig
Die Krone auf das Haupt des fetten Prinzen.
Drum laßt Sir Richard rufen, dieser Welt,
Die Arges glaubt, weil sie im argen liegt,
Die Unschuld meines Thrones zu beweisen.
Verräterische Lords, Blutegel Englands,
Erzittert, Frankreich, Mörder meiner Mutter,
Ihr Blut sei jetzt an dir gerächt!

PEMBROKE

Sir Richard.

Der Bastard tritt auf mit Soldaten, die die zerschmetterte Leiche Arthurs vor König Johann niederlegen.

CHATILLON

Merkwürdiger Beweis der Unschuld.

BASTARD

Arthur
Versuchte in der Nacht zu flüchten, Sir.
Die ihn bewachten, fanden ihn im Graben.
Ein Unglücksfall.

SALISBURY

Das, Burschen, glaubt euch keiner.

KÖNIG JOHANN
Ich schwöre feierlich bei meiner Seele –
BIGOT
Laßt's besser sein, Johann Plantagenet,
Spart Euch den Meineid, tut jetzt Buße, betet.
SALISBURY
Nun fort von hier und zu den Waffen, Lords!
Wir sind gerüstet, fünfzehntausend Mann.
ESSEX
Nach Kent, Louis den Eid zu leisten. Scham
Und Ehre zwingen uns. Ein welscher Prinz
Heilt das Geschwür, das dieses Land entstellt.
Verrat wird Pflicht und Treue wird Verrat.
So tief wie jetzt ist England nie gesunken.

Die Lords ab.

CHATILLON
Ich stelle fest: Zusammenbruch, das Ende.
Die Lords besitzen Eure besten Truppen.
Ergebt Euch.
KÖNIG JOHANN
Geh.
CHATILLON
Johann Plantagenet,
Du bist verloren.

Chatillon wird fortgetragen.
Schweigen.

KÖNIG JOHANN Was soll ich tun?

Schweigen.

KÖNIG JOHANN
Was soll ich tun?

BASTARD
Es gibt
Nur einen Ausweg. Philipps Politik
Ist nicht zu ändern, allzusehr lockt Frankreich
Die Herrschaft über England, ändern können
Wir nur die Politik der Kirche.

KÖNIG JOHANN
Wie?

BASTARD
Durch Unterwerfung.

KÖNIG JOHANN
Niemals.

BASTARD
Unterwerft
Ihr Euch, so muß die Kirche Euch verzeihen.
Wer Gnade predigt, muß auch Gnade üben,
Die Macht der Kirche ist auch ihre Schwäche.
Ihr könnt die Kirche zwingen, zwingt sie ganz:
Verzichtet auf die Macht zu Gunsten Roms.

KÖNIG JOHANN
England verschenken? Nie!

BASTARD
Der Papst, bestochen
Durch diese beispiellose Unterwerfung,
Wird England Euch zurückerstatten als
Ein Lehen. Aus dem Feind wird Euer Freund.

KÖNIG JOHANN
Verschenk ich England an die Kirche, fegen

Mich Adel und das Volk vom Thron.

BASTARD

Wenn Ihr
Dem Volke neue Rechte gebt, fegt es
Den Adel und nicht Euch vom Thron.

KÖNIG JOHANN

Das Volk!
Es lebt dahin in Stumpfsinn, ungebildet,
Legt sich ins selbe Stroh zum Zeugen und
Zum Sterben, vegetiert nur, ist Gesindel.

BASTARD

Gesindel? Sir, es stellt die Mehrheit dar.

Schweigen.

KÖNIG JOHANN

Mein Volk! Auf einmal wird mir warm ums Herz,
Denk ich an meine Bauern, meine Bürger.
Das gute Volk! Geduldig, froh, genügsam –
Der Kardinal?

BASTARD

In Swinstead, Sir.

KÖNIG JOHANN

Es sei.

Wütend.

Schon wieder hat mich die Vernunft verführt.
Viel zu vernünftig, ihr zu widerstehen,
Geht meine Macht durch sie zugrunde. Nur
Die Unvernunft der Hoffnung bleibt, vielleicht
Doch noch zu siegen durch Vernunft. Nach
Swinstead!

König Johann und Pembroke ab.

Der Bastard an der Leiche Arthurs.

BASTARD

Mein armes Kerlchen, Opfer unserer Ränke,
Du kleiner Spielball großer Politik.
Ich kämpfte für dein junges Leben, doch
Du wähltest einen andern Weg, als ich
Ihn wählte, denn mein Weg verliert sich in
Den Dornen und Gefahren dieser Welt.
Ratgeber nur der Macht, fällt dennoch Macht
Mir zu, weil sich die Macht an mich gewöhnt.
So bin ich auch an deinem Tode schuld
Wie jedermann, der mitbaut am Gebäude,
Das sich Gewalt errichtet, Blut als Mörtel,
Als Balken Habgier nutzend. Stiller Prinz,
Wie leicht wiegst du das ganze England auf!
Aus dieser Handvoll toten Königtums
Floh dieses Landes Leben, Recht und Treue.
Zurück bleibt nichts als Ohnmacht, die, um Schmach
Zu meiden, sich der Schmach ergibt. Ihr Knechte,
Tragt ihn hinweg, ihr tragt den König.

Arthurs Leiche wird hinausgetragen.

Fünfter Aufzug

Erste Szene

Swinstead. Abtei.
Der Kardinal Pandulpho im Nachthemd in einem Bett.

PANDULPHO Eine Bettflasche!

Stille.

PANDULPHO
Trostloses Klima und die Speisen Fraß,
Nicht zu beschreiben, eben war's ein Brei,
Versalzen und verkommen wie das Land.
Zum Trinken was von einer Sündenbrühe.
Ihr Heiligen im Himmel steht mir bei.
Es regnet tagelang, und dann kommt Nebel,
Und mit dem Nebel Gicht. Die Leute düster
Und schweigend. Drei, vier Worte, das genügt.
Die Kenntnis der Religion, der Wahrheit,
Der lichten, klaren, ist gleich nichts, gleich gar nichts;
Die Heiden kennen die Dreifaltigkeit
Weit besser.

Stille.

PANDULPHO Eine Bettflasche!

Stille.

PANDULPHO

Es scheint, die Kerle sind stocktaub. Ich friere.
Verwünschte Abtei Swinstead – vom Bastard
Geplündert und zerstört – als Bauwerk gräßlich –
Nun meine Residenz. Die Mönche krächzen
Wie Amateure ihre Psalmen. Tiefe
Provinz. Das ist das Wort. Dies England hier
Und Frankreich mit: Provinz. Die Könige
Sind Dilettanten, rohe Bauernprügler:
Kein' Schimmer, was Regieren heißt. In Rom
Könnt's jeder Schreiber besser. Und Manieren!
Und erst die Peers und Lords, zum Rasendwerden!
Mein Gott, ich bin gestrandet irgendwo
Am End der Welt bei Menschenfressern.

Mönche treten auf. Einer mit einer Bettflasche.

PANDULPHO

Endlich.
Und spannt ein Dach mir übers Bett. Es regnet
Durch die verkohlte Decke, dieser Bastard –
Er wird – hat Frankreich seinen Sieg vollendet –
Gefoltert, dann gerädert und gevierteilt.
Holt meinen Sekretär, ich will diktieren.

Die Mönche haben über das Bett eine Decke gespannt.

PANDULPHO Noch eine Bettflasche!

Ein Sekretär kommt.

PANDULPHO

Fort! Fort mit dem Gesindel! Daß es mir
Nicht wieder singt!

Mönche ab.

PANDULPHO

Faulpelz von einem Schreiber,
Daß du mir keine Kleckse machst wie letzthin.
An Innozenz den Dritten, Papst zu Rom.
Geliebter Vater, Wir – Was ist?

Ein Mönch ist mit einer Bettflasche gekommen.

PANDULPHO

Ach so.
Mach schnell, du Trottel, bring noch eine Flasche.

Mönch ab.

PANDULPHO

An Innozenz den Dritten, Papst zu Rom.
Geliebter Vater –

König Johann, barfüßig im Büßerhemd und mit Krone, sowie der Bastard treten auf.

KÖNIG JOHANN

Eminenz!

PANDULPHO

Johann
Plantagenet mit seinem Teufelsbastard!

Der Sekretär flüchtet unter das Bett.

PANDULPHO

Die fehlten mir gerade noch. Skandal.
Frankreich ist nicht imstande mich zu schützen,

Den päpstlichen Gesandten! Typisch. Bis
Ins Mark ist diese Welt verfault, verpestet!
Auf nichts mehr ist Verlaß!

Erhebt sich, steht aufrecht im Bett.

Pandulpho, stirb.
Hier meine Brust, die Regendünste Englands
Und seine kalten Winde machen mir
Den Tod nicht schwer. Durchbohrt mich, köpft mich, hängt mich!

KÖNIG JOHANN

Ein Irrtum, Eminenz, ich komme, mich
Zu unterwerfen.

PANDULPHO

Abgewiesen!
Ihr seid in Bann und bleibt in Bann.

Der Mönch ist mit einer dritten Bettflasche gekommen.

PANDULPHO

Was willst du?
Ich brauche keine mehr, du Lumpenkerl.
Ich werde jetzt ermordet, trete ein
Als Märtyrer ins Paradies! Hau ab!

Mönch zitternd ab.

PANDULPHO

Vorwärts mit eurem Attentat, ich habe
Dies England satt mit seinen Klerikern,
Die unser klares heiliges Latein
So gräßlich radebrechen, sehne mich
Nach Maden, Würmern, will vermodern, will

Verschimmeln, mich in stinkend Aas verwandeln,
Damit ich schleunigst wieder auferstehe,
Dem Sündenpfuhl als reiner Geist entschwebe!
Mein Sekretär?

BASTARD

Der? Unter Eurem Bett.

PANDULPHO

Ein Feigling.

Steigt aus dem Bett, schreit dem Sekretär unter dem Bett zu.

PANDULPHO

Was ich habe, stifte ich
Den Armen!

Kniet vor König Johann hin, betet.

PANDULPHO

Schluß jetzt, Priester her. Ich bin
Bereit zur Letzten Ölung.

König Johann kniet ebenfalls hin.

KÖNIG JOHANN

Eminenz,
Ihr braucht den Priester nicht. Ich tue Buße!
Ich bin ein Ketzer, bin ein Sünder, bin
Der ewigen Verdammnis würdig, bin
Ein Afterkönig, Abschaum eines Christen.
Ich fleh um Gnade und Vergebung, komme,
Mich Euch zu unterwerfen und der Kirche!

PANDULPHO

Nichts da! Das schlagt Euch aus dem Kopf! Es gibt
Für Euresgleichen keine Sühne.

Rutscht mit ausgebreiteten Armen herum, der König Johann rutscht ihm nach.

PANDULPHO

Seht
Den Zustand der Abtei. Geplündert. Unrat
Im Refektorium! In der Kapelle
Sind Exkremente gar von Menschen. O
Mein schönes Swinstead!

Wirft sich auf den Boden, König Johann ebenfalls, um dem Kardinal ins Ohr seine Unterwerfung zu verkündigen.

KÖNIG JOHANN

Eminenz, ich biete
Dem Papst zu Rom die Krone Englands an!

Hält Pandulpho die Krone hin, Pandulpho richtet sich auf die Knie auf.

PANDULPHO

Die Krone Englands? Bei den Heiligen!
Nimmt die Krone.
Die Krone Englands!
Erhebt sich, König Johann bleibt knien.
Söhnlein, deine Sünden
Sind dir vergeben, du bist reingewaschen,

Ein neugebornes Kindlein, rein wie Schnee.
Die Krone Englands! Innozenz ist glücklich.
Das Abendland frohlockt, der Himmel jubelt.
Knie nieder, Söhnlein, flugs!

Krönt König Johann.

Hier! Nimm zurück
Aus dieser meiner Hand als Lehn des Papstes
Die königliche Hoheit und Gewalt.
Steh auf, mein Söhnlein. Doch du schlotterst ja
In deinem Büßerhemd.

KÖNIG JOHANN
Geliebter Vater,
Es ist auch bitter kalt.

PANDULPHO
Zu mir ins Bett!
Ich zittere wie du vor Kälte. Marsch.

Die beiden besteigen das Bett, decken sich zu.

PANDULPHO Noch eine Bettflasche!

Die Mönche kommen mit vielen Bettflaschen.

PANDULPHO Packt euch!

Mönche ab.

PANDULPHO
Mein Söhnlein, du hast Sorgen?

KÖNIG JOHANN
Philipp
Ist schon in London, Vater, meine Lords
Mit ihren Truppen sind zu ihm gestoßen.

PANDULPHO

England ist Land des Papstes. Kehrt Philipp
Nach Frankreich nicht zurück, kommt er in Bann,
Desgleichen deine Lords. Ihr Aufstand ist
Ein Aufstand gegen unsre Kirche, basta!

KÖNIG JOHANN

Mein Volk ist patriotisch, es wird murren,
England in Händen Roms zu sehen, Vater.

PANDULPHO

So murre es.

KÖNIG JOHANN

Mein Volk ist hart bedrängt
Vom Adel, der sein Feind und meiner, darum
Will ich ein neues Recht verkünden, das
Mein hartbedrängtes armes Volk beschützt.

PANDULPHO

Ei ei! Ein neues Recht fürs arme Volk!
Mein Söhnlein, ich bin überaus bewegt.

KÖNIG JOHANN

Geliebter Vater. Ich bin glücklich, mehr
Als glücklich, denn zu diesem Glück stößt noch
Ein zweites Glück: Ein Sohn ist mir geboren.

PANDULPHO

Ein Sohn! Ein Kronprinz!

Springt aus dem Bett.

Kerle, meine Kleider!
Sofort nach London, alles neu zu regeln,
Dem Krieg ein Ende und Vernunft an Stelle
Der Unvernunft zu setzen!

König Johann verläßt das Bett ebenfalls.

PANDULPHO

Ihr, Bastard,
Begleitet mich, in einer kleinen Weile
Bin ich bereit, erwartet mich im Hof.
Johann Plantagenet, du gehst nach Northampton.
Der Kirche Wort: Es wird zu deinem Heil
Sich alles wenden.

Segnet den zögernden König Johann.

Geh mit Gott, mein Söhnlein.

König Johann links, der Bastard rechts ab.[11]

PANDULPHO

Ankleiden.

Breitet die Arme aus.

Sekretär. Geheim. Ein Brief.
Mit einem Boten schneller als der Wind.
An William Longsword, Graf von Pembroke. Schreibt.

Der Sekretär beginnt zu schreiben.

Zweite Szene

London. Hauptquartier der französischen Armee.
König Philipp in der Mitte der Bühne in einem Waschzuber.
Rechts von ihm der Dauphin Louis ebenfalls in einem Waschzuber.
Blanka liegt links auf einem Ruhebett und ölt und salbt sich.

KÖNIG PHILIPP

Madame, mein Sohn Louis verklagt Euch. Hört
Ihn an, der Mensch ist Euer Ehemann.

LOUIS

Ich klage Blanka an des Ehebruchs
Mit Bigot, Salisbury und mit Essex.

KÖNIG PHILIPP

Kurz, mit ganz England, Madame, das ist viel.

BLANKA

Na und?

LOUIS

Na und! Na und! Das ist die Höhe.
Mein Schwert!

Ein Page gibt ihm ein Schwert.

KÖNIG PHILIPP

Wozu?

LOUIS

Ich will mich mit den Lords
Auf Tod und Leben im Gefechte messen.

KÖNIG PHILIPP

Du bist im Bade. Page, seif mich ein.

Ein Page seift König Philipp ein.

BLANKA

Dauphin, die Eifersucht ist lächerlich,
Mit der Ihr mich verfolgt. Vier Pagen schon
Ließt Ihr in Le Mans niederstoßen, hier
Sind's zwei. Was fällt Euch ein? Ihr habt kein Recht
Dazu. Ich wurde Euch wie Vieh verkauft,

Für einen Fetzen Frieden, noch zu lumpig,
Um unser Hochzeitsmahl zu überdauern.
Mein Leib bracht Euch halb Frankreich ein, verspricht
Euch England noch dazu. Was wollt Ihr mehr?
Die Länder Euch, mein Schoß, wem ich ihn schenke,
Und sei es diesen Lords.

KÖNIG PHILIPP

Bei allen Teufeln,
Madame, Ihr imponiert mir. Louis, Friede!
Die Lords sind uns verbündet, ihre Truppen
Verstärken unser Heer, nur das ist wichtig.
Falls sie bei deiner Blanka liegen, schön,
Falls nicht, noch besser, nimm es nicht persönlich.
Mit wem auch deine Gattin schläft, so laß sie!
Du hast die Welt und nicht dein Weib zu zügeln.
Verführbar sind sie beide, lerne, Dauphin,
Die Welt zu reiten, dieser Ritt, ich meine,
Ist eines Königs würdig. Page, seif
Mir noch einmal den Rücken.

EIN PAGE

Majestät,
Der Kardinal von Mailand!

Pandulpho, der Bastard und Pembroke treten auf.

KÖNIG PHILIPP

Eminenz,
Seit einer Woche schon seid Ihr in London.
Erst jetzt erscheint Ihr.

PANDULPHO

Majestät, Lord Pembroke
Ist heute erst in London eingetroffen.

KÖNIG PHILIPP

Bringt er und dieser Bastard König Johanns
Endgültigen Verzicht auf Englands Krone?
Seift mir den Kopf ein, Page.

Der Page seift ihm den Kopf ein.

PANDULPHO

Englands Krone
Ist nicht mehr König Johanns Krone, Fürst.

KÖNIG PHILIPP

Na also.

PANDULPHO

Doch auch dir, Philipp von Frankreich,
Gehört sie nicht, sie ist des Papstes. Sein
Ist England. Über diese Insel herrscht
Jetzt Innozenz. Johann Plantagenet,
Der Kirche treuer Sohn, verwaltet sie
Im Auftrag Roms.

KÖNIG PHILIPP

Ein Badetuch!

Man gibt ihm ein Badetuch, er steigt aus dem Bade.

KÖNIG PHILIPP

Hochwürden,
Die Posse, die Ihr spielt, ist unerhört.

PANDULPHO

Mein Sohn, die Kirche spielt hier keine Posse.
Sie schafft die Ordnung, legt dir Ordnung auf.
Gehorche. Räume England. Räumst du's nicht,
Bist du verflucht und in den Bann getan.

KÖNIG PHILIPP

Verzeiht, Hochwürden, ich will nicht zurück,
Ich bleibe hier mit meinem Sohn, die Insel
Ist dem Dauphin durch Heirat zugefallen.
Ich bin zu hochgeboren, als daß Ihr
Mich kommandieren könnt wie einen Dienstmann.
Ihr braucht den Bann zu oft, er nützt sich ab.
Ihr zeigtet mir mein Recht auf dieses Land,
Ihr gabt mir Schwung zu diesem Unternehmen,
Ja selbst vor einem Morde hieltet Ihr
Mich nicht zurück, Ihr gabt mir Mut dazu!
Und jetzt kommt Ihr und sagt mir, daß Johann
Mit Rom den Frieden schloß! Was kümmert's mich!
England gehört nach Arthurs Tode mir,
Ich hab es halb erobert, will es ganz!
Bin ich Roms Sklave? Wo nahm Rom die Gelder?
Wo warb es Truppen? Wer denn kaufte Waffen,
Dies Werk zu unterstützen? Bin ich's nicht,
Der für den Papst die Bürde trägt? Verdammt!
Hab ich die beste Karte nicht zum Sieg[12]
In diesem Spiel um eine Krone? Soll
Ich jetzt ob einer Laune Roms verzichten?
Nie!

LOUIS Nie!

König Philipp klettert schweigend in den Waschzuber zurück.

KÖNIG PHILIPP

Na schön. Dein Wille, Kardinal, geschehe.
Gießt warmes Wasser nach.

Ein Page gießt nach.

PANDULPHO

Ein Trost, mein Fürst.
England hat einen Kronprinz.

KÖNIG PHILIPP

Trost? Weshalb?
Das Kind ist ein Plantagenet. Es macht
Die Lage nur noch schlimmer.

PANDULPHO

Glaubt Ihr wirklich?
Warum brach dieser Krieg denn aus? Um Arthur,
Um einen Knaben, um ein zartes Kind
Auf Englands Thron zu setzen statt Johann,
Der Euch an Klugheit gleich, an Stärke, List.
Den Knaben habt Ihr nun, den Kronprinz Heinrich.

KÖNIG PHILIPP

Er herrscht nicht.

PANDULPHO

Graf von Pembroke, was Ihr mir
Als Beichtgeheimnis anvertraut, das legt
Nun offen an den Tag. Es ist die Sühne,
Die ich hier Eurem Handeln auferlege:
Drum sprecht, und Eure Sünde ist vergeben.

PEMBROKE

Johann Plantagenet liegt schon im Sterben.
Ich gab ihm Gift, und es gibt keine Rettung.

PANDULPHO

Damit ist Heinrich König.

KÖNIG PHILIPP

Genial!
Das ist die Lösung des Konflikts. Ein Kind
Ersetzt das andre Kind. Wir dürfen
Gott danken, daß die Angoulême gebar.

Klettert aus dem Waschzuber, wickelt sich in sein Badetuch.

KÖNIG PHILIPP

Louis, steig aus dem Bad, laß England fahren.
Zurück nach Frankreich. Schließen wir den Frieden.

König Philipp und Louis ab.

BASTARD Eminenz.
PANDULPHO Mein Sohn.
BASTARD
Das ist Verrat.
PANDULPHO
Verrat, Sir Richard? Nein.
Johann, bedrängt, kam auf Ideen.
Dem Volk ein neues Recht! Wie gnädig tönt's
Aus königlichem Mund. Ich kenn das Volk
Von Grund auf, seine Not und Unterdrückung.
Ich weiß, wie's stinkt, was Hunger ist, was Zittern
Vor Mächtigen, ich stamme aus der Gosse.
Mein Vater war im schönen Mailand Schreiber,
Und meine Mutter holte sich der Fürst ins Bett
Und mich dazu, wenn's ihm gerade paßte.
Mir macht kein Fürst was vor. Ist so ein König
Im Unglück, sehnt er sich nach seinem Volk
Wie jetzt Johann. Er glaubt ans Volk. Er träumt
Vom Volk. Er preist das Volk. Er will dem Volk
Die Freiheit geben, wird gar sozial.
Doch kehrt
Sein Glück zurück, entschwindet die Empfindung
Fürs arme Volk, der Fürst wird wieder hart.

Die Kirche ist allein des Volkes Freund,
Aus seiner Mitte holt sie ihre Söhne,
Sie hält allein die Hoffnung wach, wenn auch
Aufs beßre Jenseits nur, bis endlich sich
Das Volk die Rechte selber schafft. Genug.
Die Gegenwart zwang uns zu handeln. Wir
Sind eingesperrt in einen Raubtierkäfig.
Nach Mord ist alles lüstern, selbst die Kirche,
Und Blut klebt auch an meinem Kleid. Bastard,
Gebt Euch zufrieden und den König auf.

BLANKA

Es sei. Der Friede ist geschlossen. Doch
War England mein, durch mich kam Frankreichs
Anspruch
Auf Land und Krone der Plantagenet.
Verzichtend will ich dennoch nicht verzichten
Auf meine Rache für die Schande, die
Ein Mann mir brachte. Er sei mein: der Bastard.

PANDULPHO

Er sei der Eure, Fürstin.

BLANKA

Nehmt ihn fest.

Soldaten verhaften den Bastard.

PANDULPHO

Ihr edlen Lords, entlaßt die Truppen. Kommt
Nach Northampton, dem Sterbenden, dem König,
In seiner letzten Stunde beizustehen.

Pandulpho mit Pembroke ab.
Blanka betrachtet ruhig den Bastard.

BLANKA
Führt ihn hinaus. Peitscht ihn wie einen Hund.
Dann laßt ihn laufen.

Dritte Szene

Northampton. Ein Staatszimmer im Palast.
Bigot, Salisbury, Essex, Chatillon, Lords.

CHATILLON
Der König lebt noch immer.
ESSEX
Nur Geduld.
SALISBURY
Er kommt. Seid feierlich, ihr Lords, ergriffen.
BIGOT
Gebete murmeln, mehr ist nicht zu tun.
CHATILLON
Ich hoffe, Frankreich wird hier nicht betrogen.

Pandulpho und Pembroke führen König Johann herein, begleiten ihn zum Thron. König Johann ist im Nachthemd und blutbesudelt.

KÖNIG JOHANN Lords,
Ihr Großen meines Reichs. Ich fühlte mich
In dieser Woche krank. Doch kehrt die Kraft
Nach frischem Blutsturz mir zurück.
Und wie mein Land war auch mein Leib
In einer Krise. Beide hat der Tod
Bedroht, nun Frankreich heimgekehrt, gesunden

Wir beide, Land und ich. Ich habe viel
Gedacht, als ich so dalag. Schlaflos. Schmerzen
Und Kälte, Hitze drauf. Mein Geist blieb klar.
Er spähte nach dem Sinn des Staats, den wir
Regieren. Frage war: Mit welchem Recht
Steht England uns zu, den Plantagenets?
Ist England nicht sein eigen Eigentum?
England gehört nicht mir und euch, ihr Lords.
Wir sind es nur, die es verwalten, doch
Verwalten wir es gut? Wir profitieren.
Was wir Gesindel heißen, dem gehört
Das Land, was uns Geschäft, bezahlt das Volk.
Ich stand an einer Grenze. Halb im Tod
Und halb im Leben schaute ich und sah
Gerechtigkeit. Wie Moses, als er kam
Vom Sinai, kehr ich vom Todesland
Zurück mit einer Magna Charta dessen,
Was Recht sein soll in England von nun an:
Einschränkung meiner königlichen Macht,
Freiheit der Stände, Schutz vor Willkür der
Gerichte –

Der Bastard tritt auf mit nacktem, blutverkrustetem Oberkörper.

KÖNIG JOHANN
Richard, Bastard meines Bruders,
Mein Freund und mein Berater, dem ich traue
Wie sonst nur noch Pembroke, dem treuen Diener.
Du bist mißhandelt und entstellt. Von wem?

BASTARD
Das ist jetzt gänzlich nebensächlich, Sir.

KÖNIG JOHANN
Ich will die Wahrheit wissen.

BASTARD
Welche Wahrheit?
Die Wahrheit über mich? Ich bin ein Bastard.
Die Wahrheit über Euch? Sie nützt Euch nichts.
Sie ist unmenschlich. Darum laßt sie sein.

KÖNIG JOHANN
Ich ahne sie. Ich sterbe. Ist es so?

BASTARD Fragt Pembroke, Sir.

KÖNIG JOHANN Vergiftet?

BASTARD Fragt ihn.

König Johann erhebt sich und wankt auf den Bastard zu.

KÖNIG JOHANN
Unnötig jede Frage. Nicht der war's,
Auch nicht der Kardinal, die mich jetzt stürzen.
Indem ich mir den Sohn schuf, der mir folgt,
Stürzt' ich mich selber. Lächerlicher Tod!
England hat nun ein Kind zum König. Kind!
Ein Säugling herrscht, in Windeln, gierig nach
Der flachen Brust der schiefen Angoulême.
Der Adel hat gesiegt, der König ist
Kein Hemmnis seiner Willkür, seiner Gier,
Aufs neue wird dies England ausgeplündert,
Von allen Feinden der Plantagenets.
Doch der mich stieß in diese böse Pleite,
Voll Hohngelächter, der mich stolpern ließ
Ins Grab durch meine Zeugungskraft, gefällt
Durch Pipi und Gekacke meines Sohns,
Bist du! Du hast mich mit Vernunft vergiftet!

Dein Rat war's, diese Angoulême zu nehmen.
Nun wird das kalte Brett, mit dem ich schlief,
Der Deckel meines Sargs. Verflucht die Stunde,
In der ich dich aus warmen Fladen kratzte
Ans Tageslicht. Du brachtest nichts als Unglück.
Die Welt verbessernd, machtest du sie nur
Verdammter. Kehr zurück zu deinen Schweinen,
Zurück in deinen Bauernmist, hinweg
Aus meinen Augen –

König Johann wankt zum Thron zurück, steht unbeweglich, bricht dann tot zusammen.

PEMBROKE
Der König, meine Lords, ist tot. Es lebe
Heinrich der Dritte. Laßt die Herzogin
Von Angoulême herein mit ihrem Sohn.

Die Herzogin erscheint verschleiert mit dem Säugling Heinrich dem Dritten. Setzt sich auf den Thron, zur Linken der Kardinal, zur Rechten Pembroke.
Pandulpho salbt das Kind.

PANDULPHO
Sei König über England, Heinrich. Graf
Pembroke wird dich erziehen, wir, die Kirche,
Dir beistehn.

PEMBROKE
Ihr jedoch, Sir Richard, wißt,
Auch uns sind Männer, wie Ihr seid, ganz nützlich.
Ihr seid ernannt zum Herzog von Northampton;
Bleibt so der Krone und dem Staat erhalten.

BASTARD
Verflucht vom König und zurückgeschickt,
Kehr ich zurück nach Faulconbridge. Ich mischte
Mich in die Welt der Mächtigen hinein,
Versuchte sie zum beßren Ziel zu lenken.
Doch Dummheit zog den Wagen des Geschicks.
Und Zufall. Was ich hoffte, das blieb aus,
Nach soviel Feilschen, Morden und Verrat
Kam statt Vernunft ein Pembroke bloß heraus.
Mein Land, du liegst darnieder. Tauchend in
Dein Volk, werd ich ein Teil des Volkes wieder,
Und sei es auch als Stallknecht meines Bruders.
Auf deinen Adel, deine Ehren pfeifend,
Mit jeder Kuhmagd schlafend, die ich schnappe,
Mit jeder Wirtshausköchin, deren Hintern
Mir diese Welt voll Finsternis erleuchtet,
Zeug ich Bastarde, wie ich selber einer,
Ihr habt gesiegt, ihr Lords, zerfleischt euch selber.
Was schert mich England noch, was die Geschichte?
Ein Ungeheuer starb, es bleiben Wichte.

Bastard ab.

PEMBROKE
Ihr Lords, verscharrt den König irgendwo
Wie irgendeinen. Auf zum Staatsgeschäft,
Dies Land durch unsre Zeit hindurch zu karren
Im alten Gleise, ungestört von Narren.

Titus Andronicus

Eine Komödie
nach Shakespeare

Personen

Saturninus	Kaiser von Rom
Bassianus	sein Bruder
Tamora	Kaiserin von Rom
Alarich	Fürst der Goten
Demetrius Chiron	Tamoras Söhne
Aaron	Tamoras Geliebter, ein Mohr
Marcus Andronicus	Volkstribun
Titus Andronicus	Feldherr
Lavinia	seine Tochter
Mutius Quintus Marcius Lucius	seine Söhne
Publius	Einbeiniger
Sempronius	Einäugiger
Caius	Beinloser
Sextus	Beinloser
	Hebamme
	Henker
	Ein Bauer
	Erster Soldat
	Zweiter Soldat
	Gote

Stumme Rollen: Senatoren, Sklaven, Alarbus

Geschrieben 1970
Uraufführung im Schauspielhaus Düsseldorf
am 12. Dezember 1970

1. Rom. Vor dem Kapitol

Trompetenstoß. Es erscheinen oben auf der Bühne Senatoren und Tribunen, wie zur Versammlung; dann von der einen Seite Saturninus mit seinem Gefolge, von der andern Bassianus mit dem seinigen. Trommeln und Fahnen.

SATURNINUS
Edle Patrizier, Schirmer meines Rechts,
Verteidigt meinen Anspruch mit dem Schwert;
Und ihr, Mitbürger, Freunde wert und treu,
Werbt mit den Waffen um mein erblich Recht.
Ich bin des Erstgeborener, den zuletzt
Geschmückt Roms kaiserliches Diadem:
So folge mir des Vaters Würde nach.
Kränkt meinen Vorrang nicht durch diese Schmach.

BASSIANUS
Römer, Gefährten, Fördrer meines Rechts!
Wenn je zuvor Bassianus, Cäsars Sohn,
Roms königlichem Auge wohlgefiel,
Besetzt den Zugang hier zum Kapitol
Und duldet nicht, daß Unwert dürfe nahn
Dem Kaisersitz, der Tugend stets geweiht,
Dem Recht, der Mäßigung, dem Edelmut.
Laßt Stimmenmehrheit das Verdienst erhöhn,
Und, Römer, kämpft für Freiheit eurer Wahl! –

Marcus Andronicus oben auf der Bühne, mit der Krone.

MARCUS

Ihr Prinzen, die durch Anhang und Partein
Ehrgeizig strebt nach Herrschaft und Gewalt;
Es grüßt das römsche Volk, für das wir stehn
Mit unsern Freunden, durch einmütigen Ruf
Nach seinem Wahlrecht, als des Reiches Fürst
Andronicus, der Fromme zubenamt,
Für sein vielfach und groß Verdienst um Rom. –
Ein beßrer Krieger und ein größrer Mann
Lebt nicht zu dieser Stund in unsrer Stadt;
Er ist zurückberufen vom Senat
Aus heißem Kampf mit den barbarschen Goten;
Er mit den Söhnen, unsrer Feinde Schreck,
Bezwang dies starke, kriegsgewohnte Volk.
Zehn Jahre sind es nun, seit er zuerst
Roms Sache führt' und strafte mit dem Schwert
Der Feinde Hochmut; fünfmal kehrt' er heim
Blutig, nach Rom, die tapfern Söhne führend
Auf Bahren aus dem Feld;
Und nun, zuletzt, geschmückt mit Ruhmstrophäen,
Zieht dieser wackre Titus heim gen Rom,
Andronicus, der edle Waffenheld.
Wir bitten euch, bei seines Namens Glanz,
Den ihr für würdig achtet eures Throns,
Und kraft des Kapitols und des Senats,
Den andachtsvoll zu ehren ihr bekennt:
Entfernt euch jetzt, entsagt der Übermacht,
Schickt heim die Freund', und wie's Bewerbern
ziemt,
Verfolgt in Fried und Demut eur Gesuch.

SATURNINUS
Wie schön spricht, mich zu sänftgen, der Tribun!
BASSIANUS
Marcus Andronicus, ich trau so sehr
Auf deinen unbestechbar graden Sinn,
Dich und die Deinen ehr und lieb ich so,
Den edlen Bruder Titus, seine Söhne,
Und sie, der sich mein Sinn in Demut neigt,
Die reizende Lavinia, Zierde Roms –
Daß ich heimsende meiner Treuen Schar
Und meinem Glück und unsers Volkes Gunst
Vertraun will zur Entscheidung mein Gesuch.

Die Soldaten des Bassianus gehn ab.

SATURNINUS
Freunde, die so bereit mein Recht geschirmt,
Ich dank euch alln, und all entlaß ich euch;
Und meines Vaterlandes Lieb und Gunst
Vertrau ich hier mich selbst und mein Gesuch. –
Rom, sei gerecht und so gewogen mir,
Als ich mit vollem Zutraun neige dir;
Öffnet das Tor und laßt mich ein!
BASSIANUS
Auch mich, Tribunen, mit bescheidnem Flehn!

Alle gehn in das Senatsgebäude.
Ein Hauptmann tritt auf.

HAUPTMANN
Römer, macht Platz! Andronicus, der Held,
Der Tugend Schützer, stärkster Kämpfer Roms,

Sieger in allen Schlachten, die er focht,
Ist heimgekehrt, an Glück und Ehre reich,
Von wo er unterwarf mit seinem Schwert
Die Feinde Roms und unters Joch sie führte.

Die Söhne des Titus Andronicus, Mutius, Marcius, Quintus und Lucius, treten auf, einen schwarzverhängten Sarg tragend.
Dann tritt Titus Andronicus auf, geführt von Lavinia.
Darauf kommt die gefangene Königin der Goten, Tamora. Mit ihr kommen ihre Söhne Alarbus, Chiron und Demetrius, endlich der Mohr Aaron, alle in Ketten. Der Sarg wird niedergesetzt.

TITUS ANDRONICUS

Rom, Siegerin im Trauerkleid,
Mit Tränen naht sich dir Andronicus
Im Lorbeerkranz. Du Göttin dieser Welt,
Sieh gnädig auf das Opfer, das ich bringe:
Von meinen fünfundzwanzig Söhnen, Rom,
Hab zwanzig ich im Krieg verloren,
Den uns die wilden Goten aufgezwungen,
Und jetzt den teuersten, den einundzwanzigsten.
Vom ganzen Kindersegen bleiben mir noch fünf,
Vier Söhne und Lavinia.
Drum nimm auch diesen Toten auf,
Schenk ihm ein Grab in meiner Väter Gruft.
Geht, Kinder, bettet ihn zu seinen Brüdern,
Schlaf friedlich, Sohn! Du starbst fürs Vaterland.

Sie legen den Sarg in die Gruft.

LUCIUS
Gib uns den ältesten der Gotenprinzen,
Wir wollen ihn verstümmeln und verbrennen,
Damit nicht ungesühnt die Brüder bleiben.

TITUS ANDRONICUS Opfert ihn.

TAMORA Halt, Römer!
Siegreicher Titus, sieh die Tränen,
Die eine Mutter ihrem Sohne weint.
Und waren deine Söhne teuer dir,
Ach denk, nicht minder ist's der meine mir!
Genügt dir's nicht, daß man nach Rom uns schleift,
Bestimmt fürs Joch und für den Siegeszug?
Mußt du den Sohn noch schlachten auf dem Markt,
Weil er mit Mut fürs Vaterland gekämpft?
O dünkt der Streit für König und für Volk
Dich fromme Pflicht, so ist er's diesem auch:
Titus, beflecke nicht dein Grab mit Blut,
Auch du brauchst einmal deiner Götter Gnade,
Verdiene sie, indem du Gnade übst,
O schone, Titus, meinen Sohn!

TITUS ANDRONICUS Fürstin,
Die Gnade fällt allein dem Frommen zu,
Und Frömmigkeit verlangt für meine Söhne
Ein Opfer. Dazu ist dein Sohn bestimmt.
Sein Tod versöhnt die Toten.

LUCIUS
Weg mit ihm!

Alarbus wird von den vier Söhnen des Titus abgeführt.

TAMORA
Grausame, gottverhaßte Frömmigkeit.

DEMETRIUS

Alarbus, stirb getrost, wir rächen dich!

CHIRON

Die Goten kämpfen und die Römer morden.

AARON

Wir schlachten, den wir fangen, ihn zu essen,
Wir essen ihn aus Hunger, Fleisch ist Fleisch.
Doch hier ist Schlachten frommer Gottesdienst,
Dem das Begräbnisessen folgt mit Schweinen,
Kapaunen, Spargeln, Eiern, süßen Weinen
Und faulen Witzen, Rülpsern –

TITUS ANDRONICUS

Schweigt, Barbaren!

Kniet nieder.

Titus Andronicus an seine Söhne:
Ihr ruht hier, weil das Vaterland es wollte,
Geschirmt vor Leid und Wechsel dieser Welt!
Hier lauert kein Verrat, hier schwillt kein Neid,
Wächst kein verhaßter Zwist, droht keine Rache,
Schlaft, meine Söhne, schlaft in Ruhm und Frieden.

Lavinia kniet neben Titus Andronicus nieder.

LAVINIA

Lavinia an ihre Brüder: Schlaft
In Ruhm und Frieden,
An diesem Grabe weine ich für euch,
Doch nicht allein aus Gram, nein, auch aus Freude,
Bin ich doch stolz auf eure Heldentaten
Und glücklich, daß mein Vater heimgekehrt.

Die vier letzten Söhne des Titus Andronicus kehren zurück.

LUCIUS
Das fromme Werk vollbracht.
Alarbus tot, sein Rumpf verbrannt,
Die Geier fressen Kopf und Glieder auf.

TITUS ANDRONICUS
O Götter, segnet mich, nehmt dieses Opfer an.

TAMORA
O Götter, flucht dem Mörder!

TITUS ANDRONICUS Die Goten weg!

Aus dem Kapitol kommen Saturninus und Bassianus in weißen Togen, zwischen ihnen Marcus Andronicus. Sklaven treiben die Goten hinaus.

SATURNINUS Verflucht, ein schönes Weib.
BASSIANUS Wohl die gefangene Gotenkönigin.

Marcus Andronicus tritt vor.

MARCUS ANDRONICUS
Lange lebe Titus, mein geliebter Bruder!

TITUS ANDRONICUS
Lange lebe Marcus, mein geliebter Bruder!

Umarmen sich.

MARCUS ANDRONICUS
Willkommen, Neffen,
Ihr, die noch lebt, und ihr, die hier begraben.
Ihr Tapfern, euer Los ist völlig gleich:
Ob lebend oder tot, ihr seid berühmt.
Titus Andronicus, das römsche Volk

Schickt dir durch mich, beauftragt als Tribun,
Die Toga zu, von unbeflecktem Glanz,
Und stellt für dieses Reiches Kaiserwahl
Dich nebst den Söhnen unsres letzten Kaisers auf.
Sei Kandidat und wirf die Toga um.
Dann hilf zum Haupte dem hauptlosen Rom.

TITUS ANDRONICUS

Ein beßres Haupt gebührt so edlem Leib.

MARCUS ANDRONICUS

Du hast gesiegt!

TITUS ANDRONICUS

Was soll der Sieg? Sind auch
Fast alle Goten hingemetzelt oder
Gefangene, wie diese hier, entkam doch nur
Ein einziger, der Tölpel Alarich,
Ein kleiner Häuptling eines kleinen Stamms:
Was ich verloren, bringt kein Sieg zurück.
Gebt nichts als einen Ehrenstab dem Greis.

MARCUS ANDRONICUS

Kaum bist du populär, wirst du schon toll,
Du hast die Krone, wenn du sie nur forderst.

TITUS ANDRONICUS

Ihr Prinzen, beide eures Vaters würdig,
Mein Bruder, höchster Richter dieses Reichs:
Ich hab das Recht, den Kaiser zu bestimmen,
Bezahlt durch meiner Söhne Blut.
Der Kaiser ist ernannt, Prinz Saturnin.

Saturninus setzt sich, von Titus Andronicus geführt, auf den Kaiserthron, den Sklaven hereingetragen haben.

MARCUS ANDRONICUS

Bist du von Sinnen, Bruder?

Du wählst, der dich um deinen Ruhm beneidet.

BASSIANUS

Am faulen Saturnin wird Rom verfaulen.

TITUS ANDRONICUS

Die Größe Roms ist nicht das Schwert, sie ist
Das Recht, mit dem es diese Welt regiert.
Und fällt dies Recht, hat Rom das Recht verloren,
Die Völker seinem Recht zu unterwerfen.
Doch diesem Recht sind selbst wir unterworfen.
Des Kaisers erster Sohn sei deshalb Kaiser.
So will's das Recht, drum geb ich den Befehl,
Kraft dieses Rechts zum Kaiser ihn zu krönen.

SATURNINUS

Titus Andronicus, für deine Wahl
Nenn ich Lavinia meine Kaiserin.
Roms Herrscherin sei deine keusche Tochter,
Mir anvermählt im Pantheon.

TITUS ANDRONICUS

Nimm meine Tochter,
Die Stütze meines Alters, meine Freude.
Ich bin durch deine Gnade hoch geehrt.
Als Gegengabe weihe ich dem Kaiser
Schwert, Siegeswagen und Gefangene.
Die Goten rein!

Sklaven treiben die Gefangenen herein, die auf die Knie fallen.

SATURNINUS

Verdammt, ein herrlich Weib!

TITUS ANDRONICUS

Die Goten raus!

Sklaven treiben die Gefangenen hinaus.

SATURNINUS
Dank, Freund und Schwiegervater.
Wie stolz bin ich auf dich und dein Geschenk.
Erfahre, Rom: Sollt ich einmal vergessen
Den kleinsten Teil so großer Dienste,
Dann, Rom, vergiß die Treue gegen mich.

Bassianus umfaßt Lavinia.

BASSIANUS
Titus, vergönnt, die Jungfrau nenn ich mein!
TITUS ANDRONICUS
Wie, Prinz? Weshalb?
BASSIANUS
Ich bin mit ihr verlobt.
TITUS ANDRONICUS
Ungültig die Verlobung.
QUINTUS
Und warum?
TITUS ANDRONICUS
Ich wußte nichts von ihr.
LUCIUS
Du warst ja ständig
Im Kriege, ließest deine zwanzig Söhne –
TITUS ANDRONICUS Einundzwanzig!
LUCIUS
Ließt deine einundzwanzig Söhne
Wie Vieh abschlachten. Konnte sie dich fragen?
LAVINIA
Ich liebe Bassian.

TITUS ANDRONICUS Und?

LAVINIA

Ich ehre dich. Du bist mein Vater. Doch
Was soll mir dieser dicke Saturnin?

TITUS ANDRONICUS

Du hast hier zu gehorchen, nicht zu fragen.

BASSIANUS

Mein Brüderchen, ich stehle dir die Braut.
Nun glotze, Faulpelz, kratze dir den Hintern,
Lavinia ist mein, solang ich lebe.

Bassianus mit Lavinia ab.

SATURNINUS

Soldaten, holt die Fliehenden zurück.

Zwei Soldaten treten auf.
Mutius springt mit gezücktem Schwerte vor.

MUTIUS

Helft ihnen fliehen, Lucius, Quintus, Marcius!
Ich decke eure Flucht.

Lucius, Quintus, Marcius ab.
Die Soldaten zögern.
Titus Andronicus geht zu Mutius.

TITUS ANDRONICUS Mutius.
MUTIUS Vater?
TITUS ANDRONICUS Zur Seite!
MUTIUS Nein.
TITUS ANDRONICUS Du stehst dem Recht im Wege.

MUTIUS Ich stehe deiner Politik im Wege.

TITUS ANDRONICUS

Das wagst du mir zu sagen?

MUTIUS

Ja.
Was ist denn dein Beruf? Ein rohes Handwerk,
Umzingeln, niedermetzeln, kalte Nächte
Und lange Wüstenmärsche, Durst und Hunger.
Der Staat, die Stadt sind dir nicht mehr vertraut.
Drum griffest du auch nicht zur Kaiserkrone.
Doch war den populären Bassian zu wählen
Dir zu gewagt, er hätte dich nicht nötig,
Die Liebe seines Volkes trüge ihn.
Du wählst zum Kaiser Saturnin; gehaßt
Von allen, muß er dich jetzt brauchen
Als Werkzeug seiner Macht, und um den Pakt
Zu schließen, wirbt er um Lavinia.
All deine Züge sind vorausberechnet.
Für deinen Einfluß gingst du über Leichen.
Was du dein Recht nennst, dient nur deinem Zweck.

TITUS ANDRONICUS Das Schwert!

Mutius gibt ihm das Schwert.

MUTIUS

Dem Vater darf man niemals widersprechen,
Schon gar nicht einem Held im Lorbeerkranz.
Du wirst mich töten,
Bigott und stur, so wie's die Posse will
Der Politik, in die du dich verstrickt.

TITUS ANDRONICUS Stirb!

Stößt Mutius nieder.
Stille.

SATURNINUS
Soldaten! Ihnen nach! Fangt sie mit Netzen!

Die zwei Soldaten ab.
Titus Andronicus gibt seinem toten Sohn einen Fußtritt.

SATURNINUS
Mich schaudert's! Eine Tat, als hätte sie
Mein Lieblingsdichter Sophokles gedichtet.
Doch eines ist mir nicht ganz klar. Wozu
Hast du denn eigentlich den Sohn getötet?
TITUS ANDRONICUS
Wozu?
SATURNINUS
Du mußt doch deine Gründe haben.
TITUS ANDRONICUS
Lavinia ist dein.
SATURNINUS
Du irrst. Ich will
Sie nicht zurück.
TITUS ANDRONICUS
Ich machte dich zum Kaiser, Saturnin.
SATURNINUS
Was recht ist, war bloß deine Pflicht.
TITUS ANDRONICUS
Du selber schworst Lavinia die Treue.
SATURNINUS
Dem Kaiser Roms kommt frische Ware zu.
TITUS ANDRONICUS
Den eignen Sohn erschlug ich deiner Ehre.

SATURNINUS Und?

TITUS ANDRONICUS

Das wagst du mir zu sagen?

SATURNINUS

Ruhig wag ich's.
Und bloß, weil du des Vaterlandes Retter,
Errett ich dich jetzt vor dem Tribunal.
Nun sind wir quitt, Titus Andronicus.
Die Goten her!

Sklaven treiben die gefangenen Goten herein.

SATURNINUS Fürstin, tritt vor.

TAMORA Mein Fürst?

SATURNINUS Dein Name?

TAMORA Tamora.

SATURNINUS

Blick nicht mehr düster, nicht zu Spott und Schmach
Umgeben dich die stolzen Mauern Roms.
Du sollst hier königlich gehalten sein.
Trau meinen Worten. Der dich tröstet, hebt
Wohl höher dich als auf den Gotenthron.
Sei meine Gattin, meine Herrscherin.

TAMORA

Wenn Saturnin mich Gotenfürstin krönt,
Dann will ich seine Sklavin sein,
Das schwör ich vor den Göttern.

SATURNINUS

Nimm Platz an meiner Seite, Kaiserin.

Tamora setzt sich neben ihn auf den Kaiserthron.
Bassianus und Lavinia, in einem Netz gefangen, werden vom ersten Soldaten hereingeschleppt.

Marcius, Quintus und Lucius, auch in einem Netz gefangen, werden vom zweiten Soldaten hereingeschleppt.

LUCIUS Mein Bruder!
TITUS ANDRONICUS Mein Sohn.
QUINTUS Erschlagen.
TITUS ANDRONICUS Ich weiß.
MARCIUS Von seinem Vater!
TITUS ANDRONICUS Ich weiß.
SATURNINUS Für nichts.
Mein Brüderlein, komm her mit deinem Bräutchen.

Bassianus und Lavinia werden vor Saturninus geschleppt.

SATURNINUS
Ei, Bassian, wozu die Flucht? Ich mein,
Das Spiel hast du gewonnen, ging es dir
Um unseres saubern Titus saubere Tochter,
Wohl längst entjungfert von dir geilem Bürschchen,
Beischläfer aller Huren dieser Stadt.
Ich hab entsagt, nicht deinetwillen, nein,
Ich tauschte deine brave Pomeranze
Mit einem Diadem, das meiner würdig.
Du siehst an meiner Seite Tamora,
Die Gotenfürstin als Roms Kaiserin.
BASSIANUS
Was höhnst du eine Römerin, du Windei
Von einem Kaiser, das zum Himmel stinkt!
Bevor du dich zu deiner Gattin legst,
Bedenke, ob sie in der Hochzeitsnacht
Dich nicht erstickt, wenn du ermattet liegst.
Von einer Gotin kann nur Schlechtes kommen.

SATURNINUS

Das büßt du mit dem Leben, Brüderlein!

BASSIANUS

Ein Brudermord ist würdig deiner Herrschaft.

SATURNINUS

Das Urteil ist gefällt.
Tribun, laßt ihn aufs Blutgerüste schleppen,
Mit ihm Lavinia und ihre Brüder.

MARCUS ANDRONICUS

Ihr Kinder meines armen Bruders, schwer
Fällt mir mein Amt. Als Unmensch steh ich da.
Ich weiß, ich weiß. Hier ist der Staat.
Hier die Familie. Doch als
Tribun ist meine Pflicht die Strenge.
Rom ist halt Rom und Recht halt Recht, wie schon
Mein Bruder, euer Vater, stets betonte.
Soldaten!

Die Soldaten treten vor.

TAMORA

Nicht also, Herr! Das wolln die Götter nicht.
Bedenke: Bassian ist außer sich.
Sein unverstellter Zorn zeigt seinen Schmerz.
Nicht bring ein Wahn dich um den tapfren Bruder,
Verzeihe ihm, verzeih Lavinia,
Verzeih auch ihren ungestümen Brüdern.
Und sehn sie mich als ihre Feindin noch,
Weil ich als Gotin ihre Feindin war,
So lernen sie mich nun als Freundin kennen.

SATURNINUS

Befreit sie von den Netzen!

Nach so viel Unsinn, Morden, Todesopfern,
Hör endlich ich die Stimme eines Menschen,
Die Menschlichkeit verkündet. Wie das Licht
Nach grauser Nacht durch dunkle Wolken bricht,
Die Kaiserin besiegte mich. Laß frei,
Tribun, die ich dir übergeben. Was
Zum Tod bestimmt, sei jetzt bestimmt zum Leben.

Saturninus steigt vom Thron.

SATURNINUS
Lang lebe Bassianus, mein geliebter Bruder!
BASSIANUS
Lang lebe Saturninus, mein geliebter Bruder!

Umarmen sich.
Bassianus kniet vor Tamora nieder.

BASSIANUS
Dir, Kaiserin, verdanke ich mein Leben,
Von nun an ist mein Leben dir geweiht.

Lavinia kniet vor Tamora nieder.

LAVINIA
Von Herzen lieb ich Bassianus, Herrin,
Verzeiht, wenn ich Euch Böses tat.
TAMORA
Mein Kind,
Du tatest mir in frommer Unschuld Liebes,
Durch deine Liebe kam ich auf den Thron.

SATURNINUS

Brecht auf. Zwei Bräute fasse mein Palast,
Heut sei ein Tag der Liebe, der Verzeihung,
Doch morgen geht es auf zur wilden Hetzjagd.

Saturninus gibt Tamora den Arm und geht an Titus Andronicus vorbei, der immer noch erstarrt an der Leiche seines Sohnes Mutius steht.

SATURNINUS

Du, Alter, geh in Pension. Der Krieg
Ist überstanden, dich braucht keiner mehr.

Saturninus und Tamora ab.
Bassianus und Lavinia gehen an Titus Andronicus vorbei.

LAVINIA

Er war mein liebster Bruder. Nur
Dein Leid läßt mich für dich noch Liebe fühlen.

BASSIANUS

Ich bin dein Schwiegersohn, ich habe nicht
Die Tat zu tadeln, die mir Wahnsinn scheint.

Bassianus und Lavinia ab.
Chiron und Demetrius gehen an Titus Andronicus vorbei.

CHIRON

Du hast den Bruder uns geschlachtet, nun
Den eignen Sohn. Mensch, bist du ein Charakter.

DEMETRIUS

Wir sind zwar nur zwei Gotenlümmel,
Doch hast du uns als Held noch übertroffen.

Chiron und Demetrius ab.
Aaron geht an Titus Andronicus vorbei.

AARON
Steig lieber in die Gruft zu deinen Söhnen,
Bedecke dich mit ihren bleichen Knochen.
Denn deine Feinde
Sind frei wie Wölfe, haben dich gerochen.

Aaron geht ab.
Marcus Andronicus geht an Titus Andronicus vorbei.

MARCUS ANDRONICUS
Mein Bruder, Recht ist Recht, ich weiß, ich weiß.
Auf meinen Schultern liegt auch seine Last.
Als Richter bin ich tief verwirrt. Leb wohl.

Marcius, Quintus und Lucius treten zu ihrem Vater Titus Andronicus.

MARCIUS
Wir wollen Mutius begraben
Und ihn zu seinen toten Brüdern legen.
TITUS ANDRONICUS Geht!
QUINTUS Vater, das ist gottvergeßner Sinn.
TITUS ANDRONICUS Geht!
LUCIUS
Mein Bruder hat ein Recht bei seinen Brüdern.
TITUS ANDRONICUS
Ich habe den getötet, der da liegt,
Die Tat ist mein und mein ist das Begräbnis.

Marcius, Quintus und Lucius ab.
Titus Andronicus allein.

TITUS ANDRONICUS

Mein Fleisch von meinem Fleisch, mein armer Sohn.
Begriff' ich bloß, was ich getan, begriff'
Ich auch die Welt, der die Gerechtigkeit
Nur Morde bringt und keine Ordnung schafft.
Im Kriege wurde ich zum Tier, als Tier
Kehrt' ich in diese Stadt zurück, verlangte
Gehorsam, wie ein Feldherr, ging mit Ränken
Und Listen vor, als wäre Rom ein Schlachtfeld.
Zu spät kam die Erkenntnis. Tot der Sohn.
Ich sinke tiefer in den bösen Sumpf,
Wo der Gerechten Blut zum Himmel dampft.
Und röter werden meine Hände Stund
Um Stund. So komm, mein Sohn, ich schleife dich
In deine Gruft zu deinen Brüdern.

Er schleift seinen Sohn fort.

2. *Einsamer Platz mit Höhle*

Saturninus und Marcus Andronicus treten auf, zur Jagd gerüstet.

SATURNINUS
Der Morgen steht im Licht, die Hügel blauen.
Die Jagd beginnt, die Hunde sind entkoppelt.
Die Hörner blasen, Pferde stampfen, wiehern.
Die Weiber schlafen noch, he he, wie sich's
Geziemt nach einer heißen Hochzeitsnacht.
Homerisch wird mein Geist, ich möchte dichten,
Denn wär ich nicht ein Kaiser, ich wär Sänger.

MARCUS ANDRONICUS
Ihr seid ein Sänger, Majestät.

SATURNINUS
Tatsächlich,
Ich bin's. Doch nun die Wildsau frisch erlegt!
Kommt, dringen wir in diesen Wald, Tribun.

Beide ab.
Aaron tritt auf.

AARON
Aaron ist frei, ihr Römer. Weiß ist weiß
Und schwarz ist schwarz. Behandelt wie ein Schwarzer,
Will ich von nun an wie ein Schwarzer handeln.

Ein General der Byzantiner fing
Mich, als mein Stamm im oberen Ägypten
Die Dörfer plünderte. Das Schwein ließ mich
Am Leben, weil mein Hintern ihm gefiel.
Die Generalin drauf trieb es noch bunter,
Sie schleppte mich als Beute nach Byzanz,
Reicht mich von ihrem Schoß zu andern Schößen,
Bis ich die Kaiserin beschlafen mußte,
Ein Weib wie eine dicke Bauerndirne,
Geschminkt, gepudert, schmuckbehangen, alt.
Dann galt's Byzanz zu retten vor den Goten,
Ich kam ins Bett der schönen Tamora.
Das nennt man Karriere, will ich meinen.
Doch immer weiter klettere ich nach oben.
Ersteigst du, Tamora, den Römerthron,
Ich steige nach, indem ich dich besteige.
Ein schwarzer Hengst, die weiße Stute reitend,
Verspott ich Rom und hörne seinen Kaiser.

Chiron und Demetrius treten auf, einander drohend.

DEMETRIUS
Dir fehlt's an Witz, Chiron, dem Witz an Salz.
CHIRON
Wer mit Lavinia bald schläft, wie ich,
Der ist so witzig und geschickt wie du.
DEMETRIUS
Dein Säbel rostet dir noch in der Scheide,
Bevor du Schlingel ihn zu brauchen lernst.
CHIRON
Nun, Kerl, dann soll mein bißchen Fechterkunst
Dich gleich belehren, was mein Schwert vermag.

DEMETRIUS

Was, Knirpschen, schon so dreist.

Sie ziehn die Schwerter.

AARON

Ihr Herrn, laßt ab.

CHIRON

Ich nicht.

DEMETRIUS

Ich auch nicht.

AARON

Ei,
Ist denn Lavinia von so leichter Art
Und dünkt euch Bassian so unbeherzt,
Daß ohne Scheu vor Rache und Gesetz
Ihr, mir nichts, dir nichts, sie verführen wollt?

DEMETRIUS

Lavinia lieb ich mehr als alle Welt.

AARON

Ihr Knaben, was euch droht, ist euer Tod.

CHIRON

Es sei, ich wage tausend Leben dran,
Die Liebste zu besitzen.

AARON

Zu besitzen?

DEMETRIUS

Sie ist ein Weib, drum darf man um sie werben,
Sie ist ein Weib, drum kann man sie gewinnen,
Ist Prinz Bassianus auch des Kaisers Bruder,
Noch Beßre wurden schon gehörnt.

AARON

Ihr wollt sie nur besitzen?

DEMETRIUS

Nur besitzen.

AARON

Der eine wie der andre?

CHIRON

Alle beide.

AARON

Und auch zugleich?

DEMETRIUS

Wenn wir sie kriegen, ja.

AARON

Daß ihr sie kriegt, hops, das ist kein Problem,
Wenn ihr sie beid zugleich besitzen wollt:
Weit und entlegen dehnt der Wald sich aus
Und weist viel unerforschte Höhlen auf,
Wie diese hier, und die, ich weiß, ist tief.
Nie dräng' ein Schrei nach außen. Hieher lockt
Das allzu scheue Reh, nach dem ihr jagt,
Stillt eure Lust an ihm, tut, was ihr wollt:
So könnt ihr Hoffnung hegen, anders nicht.
Verbergt euch im Gebüsch des nahen Teichs,
Ich hol euch, wird es Zeit.

DEMETRIUS

Habt Dank, Aaron.

AARON

Nun schleunigst fort, ihr Bengel!

Demetrius und Chiron ab.
Tamora tritt auf.

TAMORA

O diese Nacht, der Kaiser, stinkbesoffen,

Vergeblich müht' er sich, ließ Huren kommen.
Nichts half, der schlappe Kerl schlief ein und
schnarchte,
Und ich lag nackt, mein Neger fern von mir.
Komm her und küsse mich, Aaron, Geliebter!
Nenn Hure, Metze mich, greif meine Brüste
Und lieb mich stundenlang, und reiße mir
Das Kleid vom Leib, und säh's der ganze Hof.

Sie liegen in der Höhle und lieben sich.
Bassianus und Lavinia kommen.

AARON
Da kommt jemand.
TAMORA
Na und?
AARON
Ich hole Hilfe. *Ab.*
BASSIANUS
Wer liegt hier nackt?
TAMORA
Was störst du mich in meiner Einsamkeit.
BASSIANUS
In eurer Zweisamkeit.
LAVINIA
Mit eurer Gunst, huldreiche Kaiserin,
Heut schütze Zeus vor Hunden euren Gatten,
Denn Unglück wär es, sähn sie ihn als Hirsch.
BASSIANUS
Der Kerl, der euch beschlief,
Macht eure Ehre dunkel wie sein Fell.
LAVINIA Gehen wir.

BASSIANUS

Was wir hier sahen, soll der Kaiser wissen.
Ihr seid sein Weib und damit Kaiserin.
Ihr brachtet Euch zu Fall durch Eure Sünden,
Rom kann darauf nur eine Antwort finden,
Sie fordert Euren Kopf für Eure Tat.

Chiron und Demetrius treten mit gezückten Schwertern auf.

DEMETRIUS Was wollen diese beiden?
CHIRON Aaron rief uns um Hilfe.
TAMORA

Die zwei verlockten mich in diese Höhle,
Dann nannten sie mich Ehebrecherin
Und rissen mir das Kleid vom Leibe.
Und hätt euch nicht ein Wunder hergeführt,
Sie hätten mich dem Kaiser ausgeliefert,
Mit falschen Eiden meinen Tod besiegelt.

LAVINIA Du lügst!
TAMORA

Sie ist des wilden Titus geile Tochter.

BASSIANUS Du schliefst mit deinem Mohren.
TAMORA

Ihr hört, wie beide mich verhöhnen.
Rächt eure Mutter, liebt ihr mich,
Wollt ihr noch weiter meine Söhne bleiben.

DEMETRIUS Ich stoße zu.

Ersticht Bassianus.

CHIRON Ich auch.

Stößt nach.
Bassianus stirbt.

TAMORA
Dein Schwert, Chiron, laß in der Leiche stecken.
CHIRON Wozu? Es könnte mich verraten.
TAMORA Gehorch!
CHIRON Na schön.
TAMORA
Nun zu Lavinia. Auch sie muß sterben.
DEMETRIUS
Halt, liebe Mutter, hier ist mehr im Spiel.
Erst drescht das Korn und dann verbrennt das Stroh.
CHIRON
Das Püppchen rühmte sich ob ihrer Tugend.
Mit ihrer Schändung zahl sie ihr Vergehen.
TAMORA
Doch wird der Honig euer, den ihr wünscht,
Laßt nicht die Wespe leben, uns zu stechen.
CHIRON
Ich schwör euch, Mutter, ihr könnt ruhig sein.
Komm, Dame!
LAVINIA Tamora!
TAMORA
Ich will sie nicht mehr hören, führt sie weg.
LAVINIA
Mein Vater schenkte euch das Leben.
TAMORA
Und hättest du mich selber nie gekränkt,
Um seinetwillen bin ich mitleidlos.
Gedenkt, ihr Knaben, wie ich weinte, schrie,
Vom Tode euren Bruder zu befreien,

Doch niemals gab der grimme Titus nach.
Drum schafft sie fort, verfahrt mit ihr nach Lust.

LAVINIA
Nicht um mein Leben flehe ich zu dir,
Ich starb, als Bassianus starb,
Nein, Tamora, ich preise deine Gnade,
Wenn du mich töten läßt wie meinen Gatten,
Statt mich den beiden Knaben auszuliefern.

DEMETRIUS
Fort, schon zu lange hältst du uns zurück.

LAVINIA
Kein Mitleid? Keine Scham? Du viehisch Weib.
Vernichtung fall –

CHIRON
Hinein in dieses Loch.

DEMETRIUS
Ich wett, es macht dir mehr Spaß, als du glaubst.

Die beiden schleppen Lavinia in die Höhle.

TAMORA
Zu dir nun, liebster Mohr, will ich mich wenden,
Indes die Knaben jene Dame schänden.

Tamora ab.
Quintus und Marcius treten auf.

QUINTUS
Die Wildsau rannte ins Gehölz.

MARCIUS
Ihr nach!

QUINTUS Ich höre stöhnen.

MARCIUS Wo?
QUINTUS In der Höhle.

Sie betreten die Höhle.

QUINTUS Ein Mann.
MARCIUS Ermordet.
QUINTUS Bassian.

Marcius zieht das Schwert aus Bassians Leib.

MARCIUS Das Schwert gehört doch Chiron.
QUINTUS Cäsar!

Saturninus und Marcus Andronicus treten auf.

SATURNINUS Was ist?
MARCIUS Mord.
SATURNINUS
An wem?
QUINTUS
An Bassian.
SATURNINUS
Ein übler Scherz.
Er ruht mit seiner jungen Frau im Zelt.
QUINTUS Seht nach!

Saturninus nähert sich zögernd der Höhle, starrt auf die Leiche seines Bruders.

MARCIUS Chirons Schwert.
SATURNINUS Es ist's. Der goldverzierte Griff –

Tamora und Aaron treten auf.

TAMORA Was ist geschehen?
SATURNINUS Bassianus ist ermordet.
TAMORA Von wem?
SATURNINUS Von Chiron offenbar. *Reicht ihr das Schwert.*
TAMORA
Das ist sein Schwert, doch ist's nicht seine Tat.
Sprich, Aaron, melde seiner Majestät,
Wie's heute morgen zuging mit dem Schwert.
AARON
Das Schwert, o Herr, lieh Quintus sich von Chiron.
Sein Schwert sei ihm zerbrochen, sagte Quintus,
Und Chiron lachte, gab ihm seins und sagte,
Er jage lieber mit dem Speer.
TAMORA
Es stimmt,
Ich war dabei.
QUINTUS Sie lügt!
MARCIUS Sie lügen beide.
SATURNINUS Mörder!
Ihr wagt der Kaiserin zu widersprechen?

Wendet sich zu Marcus Andronicus.

SATURNINUS
War Bassian auch ohne Römerzucht
Und ohne Sinn für Dichtung, hatte er
Bloß Weiber stets im Kopf, er war mein Bruder.
Zwei Würfe deines tückischen Geschlechts
Zerfleischten ihn. Tribun, tu deine Pflicht.

MARCUS ANDRONICUS

Ihr wilden Knaben meines wilden Bruders,
Ich weiß, ich weiß, nun steh ich wieder da,
Als euer Onkel, schwer durch euch blamiert,
Durch euch wird unsere Familie vernichtet,
Denn ich bin Rom und seinem Recht verpflichtet,
Soldaten, nehmt sie fest!

Die zwei Soldaten treten vor und verhaften Quintus und Marcius.

TAMORA

Tribun, ich will für sie um Gnade flehen.
Es muß sich um ein Mißverständnis handeln.
Nicht Chiron kann die Tat begangen haben,
Und deinem Neffen trau ich's auch nicht zu:
Sie sind doch fromm und standhaft, so wie du.

SATURNINUS

Zurück nach Rom in stillem Trauerzug.
Wer's war, entscheide das Gericht, nicht ich,
Doch fällt der Urteilsspruch, entscheide ich.

Alle ab.
Demetrius und Chiron kommen aus der Höhle.
Die geschändete Lavinia kommt aus der Höhle.
Ihr sind die Hände und die Zunge abgeschnitten.

DEMETRIUS

So melde nun, wenn's deine Zunge kann,
Wer dich geschändet, dir die Zunge ausschnitt.

CHIRON

Schreib nieder, was du weißt, mit deinen Stümpfen.

DEMETRIUS

Geh, fordere frisches Wasser, wasch die Hände.

CHIRON

Noch bist du ziemlich schön, wenn auch gestutzt.

DEMETRIUS

Wir waren gnädig, ließen dir die Nase.

CHIRON

Dein volles Haar und deine beiden Ohren.

DEMETRIUS

Sogar die Brüste ließen wir dir stehen.

CHIRON

Und beide Füße. Dame, du kannst gehen.

Lavinia wankt davon.

DEMETRIUS

Die da davonschleicht, kann ein Liedchen singen.

CHIRON

Mein Brüderchen, gar trefflich ist gelungen,
Die zu bespringen, die zu hoch gesprungen.

3. Vor dem Kapitol

Vor den Eingangssäulen kauern Titus Andronicus und Lavinia, in Mäntel gehüllt.
Senatoren kommen.
Titus Andronicus wirft sich ihnen zu Füßen.

TITUS ANDRONICUS Senatoren!
Übt nicht Gerechtigkeit so stur wie ich,
Als ich Alarbus schlachtete, den Goten,
Seid meinen Söhnen gnädig.

Die Senatoren steigen über Titus Andronicus hinweg und gehen ins Kapitol.
Marcus Andronicus kommt.

TITUS ANDRONICUS Mein Bruder Marcus,
Du führst die Untersuchung gegen meine Söhne,
Du liebtest sie, wie ich sie liebe,
Zu deinen Füßen haben sie gespielt.
MARCUS ANDRONICUS
Ich weiß, ich weiß, mein Bruder, dein Geschick
Ist zu bedauern, doch ich bin Tribun,
Und mein Beruf ist Objektivität.
Sind deine Söhne schuldig, sind sie schuldig.

Er steigt über Titus Andronicus und geht ins Kapitol.
Saturninus kommt.

TITUS ANDRONICUS

Mein Kaiser, sei ein großer Kaiser, sei
Gerecht, viel Unzufriedene gibt's im Reich,
Soldaten ohne Sold, vertriebene Bauern,
Entlaufene Sklaven hausen in den Wäldern.
Sie können Bassian getötet haben.

SATURNINUS

Du lenkst die Tat auf Unbekannte, Greis,
Um deine wilden Söhne zu entlasten.
Sie wurden Bestien im Krieg wie du.
Ob sie die Mörder meines Bruders waren,
Ob frei sie jeder Schuld, das wird sich zeigen.

Saturninus steigt über Titus Andronicus und geht ins Kapitol.
Aaron kommt.

TITUS ANDRONICUS

Oh, Aaron, flehe du für mich! Du bist
Gefallen, wie ich fiel, ein Sklave bittet
Den Sklaven, sprich für meinen Sohn!

AARON

Gern
Tu ich's, Titus Andronicus, bin ich
Gleich dir doch überzeugt von ihrer Unschuld.

TITUS ANDRONICUS

Ich danke dir! Du bist der erste Mensch,
Der menschlich ist.

Aaron steigt über Titus Andronicus und geht ins Kapitol.
Quintus und Marcius werden von zwei Soldaten hereingetrieben.

TITUS ANDRONICUS

Soldaten, ich war euer Feldherr.

ERSTER SOLDAT

Im Frieden bist du es nicht mehr.

TITUS ANDRONICUS

Ich teilte eure Not im Kriege.

ZWEITER SOLDAT

Der Krieg war dein Geschäft, nicht unser.

TITUS ANDRONICUS

Seid gnädig und laßt meine Söhne frei.

ERSTER SOLDAT

Geht nicht, Feldherr.

ZWEITER SOLDAT

Befehl ist halt Befehl.

ERSTER SOLDAT

Du selbst hast uns Gehorsam eingedrillt.

QUINTUS

Mein Vater, ob wir sterben oder leben,
Spielt keine Rolle mehr in dieser Stadt,
Für die wir unser Leben hingegeben.

MARCIUS

Vergiß uns, denk an die, die dir noch bleiben.

Quintus und Marcius werden von den zwei Soldaten über Titus Andronicus hinweg ins Kapitol getrieben.

TITUS ANDRONICUS

Rom, dem ich diente, nimm dich meiner an!

Lucius kommt.

LUCIUS

Die Säulen hier sind gnädiger als Rom!
Erhebe dich und schrei nicht mehr!

Lucius hilft Titus Andronicus auf, der sich wieder vor der Säule niederkauert. Lucius bemerkt Lavinia.

LUCIUS Wer ist das Wesen?

TITUS ANDRONICUS
Lavinia.

LUCIUS
Ihr Anblick tötet mich!

TITUS ANDRONICUS
Ihr Anblick tröstet mich. Die Welt voll Aussatz
Fraß auf des Kindes Hände, nur natürlich.
Werd steinern, Sohn, wie ich zu Stein geworden,
Betrachte fühllos Schändung, Raub und Mord,
Bausteine dieses Weltgefügs.

LUCIUS
Wer tat's?

TITUS ANDRONICUS
Man schnitt ihr auch die Zunge aus.
Ich fand sie irrend durch den Wald,
Sie wollte sich verbergen. Blicke kalt
Auf diesen schönen Torso, mißgestaltet,
Als wär's ein Kunstwerk längst vergangner Zeit,
Dem Hände fehlen, Tränen abzutrocknen,
Und eine Zunge, zu erzählen, wer's
In Stücke schlug, zersägt', mit Blut verschmierte.
Tot ist ihr Gatte und für seinen Tod
Die Brüder bald enthauptet.

LUCIUS
Diese Tat ist ein Beweis der Unschuld meiner Brüder,
Ich trete vors Gericht, sie zu befreien.

Lucius geht ins Kapitol.

Publius, ein einbeiniger Soldat, tritt auf.

PUBLIUS He, Feldherr!
TITUS ANDRONICUS Wer bist denn du?
PUBLIUS Teufel, kennt Ihr mich nicht mehr? Ich bin der Publius und habe mit Euch gegen die verlausten Goten gekämpft. Das waren noch Zeiten. Ihr waret in Form, ich war in Form, die römische Armee war in Form.
TITUS ANDRONICUS Entlassen?
PUBLIUS Weggejagt und ohne Pension. Wer sitzt denn dort?
TITUS ANDRONICUS Meine Tochter.
PUBLIUS Mit der ist man auch schön umgegangen, Feldherr! Mit uns allen ist man schön umgegangen. Ihr seid bei unserem famosen Kaiser in Ungnade gefallen, und ich habe mein famoses Bein verloren. Wir sind einander ebenbürtig.
TITUS ANDRONICUS Publius, setz dich zu mir nieder.
PUBLIUS Gern, Feldherr. Wenn's auch etwas umständlich geht mit meinem Holzbein, und wenn Euch mein Knoblauchgeruch nicht stört.

Setzt sich neben Titus Andronicus nieder.

PUBLIUS Ihr wartet wohl hier vor dem Kapitol auf den Urteilsspruch über Eure Söhne?
TITUS ANDRONICUS Ich warte.
PUBLIUS Offen herausgesagt, ich sehe da schwarz. Saturnin ist ein Schwein, sein Weib eine Schlange und deren Söhne geile Hunde.

Aus dem Kapitol kommt ein Henker mit einem Korb.

DER HENKER Ich bin der Henker des Kaisers, ein vielbeschäftigter Mann, kann ich nur sagen. Henken, köpfen, rädern, kreuzigen, vierteilen, und foltert mal bei dieser Mordshitze. Du siehst, ich bin ganz verschwitzt.

TITUS ANDRONICUS Was willst du?

DER HENKER Ich habe dir eine Meldung zu überbringen. Deine Söhne sind schuld am Tode Bassians, doch wenn dir deine Söhne lieb seien, sagt der Kaiser, sollst du dir die linke Hand abhauen, sagt der Kaiser, und er will dir deine Söhne zurückschicken, sagt der Kaiser.

PUBLIUS Feldherr, ich würde diesem Kerl nicht trauen.

DER HENKER Der Henker ist ein ehrlicher Mann, und der Kaiser ist ein ehrlicher Mann.

TITUS ANDRONICUS Dein Beil her.

DER HENKER Courage!

Titus Andronicus stellt sich mit dem Rücken gegen das Publikum vor einen Marmorblock. Der Henker hält ihm den Korb hin. Titus Andronicus schlägt sich die Hand ab.

TITUS ANDRONICUS Da!

DER HENKER Gute Arbeit, Alter! Respekt! Ich nehme deine Hand mit und gebe sie dem Kaiser. Er wird dir die Söhne zurückschicken, mein Wort ist sein Wort.

Der Henker geht ins Kapitol zurück.

PUBLIUS Kauert zu mir nieder, Feldherr, sonst verblutet Ihr.

Titus Andronicus kauert, mit dem Rücken gegen das Publikum, vor Publius nieder.
Publius reißt sich einen Fetzen vom Kleide.

PUBLIUS Ich binde Euch den Arm ab, so ist es am besten. Das Blut hört auf zu fließen, und die Wunde verkrustet. Ich verstehe es, Stümpfe zu verbinden, ich tat es manchem meiner Kameraden und mir selber auch, aber glaubt mir, es war falsch von Euch, die Hand abzuhacken. Einem Henker ist nicht zu trauen und einem Kaiser auch nicht.

Aus dem Kapitol kommt der Henker. Titus Andronicus wirft sich ihm zu Füßen.

TITUS ANDRONICUS Mein Henker, habe Dank, daß du nicht zuschlugst.

Der Henker steigt über ihn hinweg und geht ab.
Aus dem Kapitol kommt Aaron.

TITUS ANDRONICUS Aaron, hab Dank für deinen Beistand!

Aaron steigt über ihn hinweg und geht ab.
Aus dem Kapitol kommt Saturninus.

TITUS ANDRONICUS Cäsar, hab Dank für deine Gnade!

Saturninus steigt über ihn hinweg und geht ab.
Aus dem Kapitol kommt Marcus Andronicus.

TITUS ANDRONICUS Marcus, du warst ein treuer Bruder.

Marcus Andronicus steigt über ihn hinweg und geht ab.
Aus dem Kapitol kommen die Senatoren.

TITUS ANDRONICUS Senatoren, seid gesegnet!

Die Senatoren steigen über ihn hinweg und gehen ab. Aus dem Kapitol kommen die zwei Soldaten mit einem Korb.

ERSTER SOLDAT
Titus Andronicus, schlimm zahlt man dir
Die Hand zurück, die du dem Kaiser gabst.
ZWEITER SOLDAT
Sieh hier die Köpfe deiner Söhne,
Hier deine Hand zum Hohn zurückgeschickt.

Die Soldaten stellen den Korb vor Titus Andronicus, steigen über ihn und gehen ab.
Titus Andronicus erhebt sich.

TITUS ANDRONICUS
Hier heb ich auf die letzte Hand zum Himmel
Und reiße ihn herab auf diese Erde.
In Trümmer sinke Rom. Nur Hurerei,
Blutschande, Mord behause die Ruinen,
Die einst Paläste waren, stolze Tempel.

Titus Andronicus stößt den Korb mit dem Fuß von sich weg.

TITUS ANDRONICUS
Fort mit der kaiserlichen Freundesgabe.
Fort mit dem Plunder ins Familiengrab,
Ins stille Narrenhaus der größten Torheit,

Denn Torheit ist's, sein Vaterland zu lieben,
Die Söhne diesem Raubtier hinzuschmeißen.
Unsinn regiert die Welt, genährt durch Dummheit.
Fort mit den Köpfen, fort mit meiner Hand.

Aus dem Kapitol kommt Lucius mit gezücktem Schwert.

LUCIUS Ich gehe, Vater.
TITUS ANDRONICUS Wohin?
LUCIUS
Aus Rom, aus dieser Beule voller Pest.
Ich wollte meiner Brüder Leben retten;
Zum Kerker wurde ich für alle Zeiten
Durch das Gericht verurteilt. Ich entkam.
TITUS ANDRONICUS
Du Glücklicher! Begünstigt wurdest du!
Dies Rom ist eine Wüstenei von Wölfen,
Von blutverschmierten Tigern, von Hyänen,
Von Geiern überwacht, ein Nest von Vipern.
Du kämest um, verlaß mich, flieh!
LUCIUS
Kommt mit!
TITUS ANDRONICUS
Ein Toter bleib ich bei den Toten.
LUCIUS
Lebt wohl, mein Vater und Lavinia.
Ich ziehe zu den Goten, werb ein Heer
Und räche mich an Rom und Saturnin. *Ab.*
PUBLIUS
He, Feldherr, Eure Tochter gibt Euch Zeichen.
TITUS ANDRONICUS Sie kann nicht reden.
PUBLIUS Aber schreiben.

Publius geht zu Lavinia hinüber.

PUBLIUS Schau her, was ich jetzt mache. Wie ich ohne Hände meinen Namen schreibe.

Publius setzt sich neben Lavinia nieder, umklammert seine Krücke mit den Armen und schreibt mit der Krücke mit Hilfe seines einen Fußes in den Sand.

PUBLIUS Das mach mir nach. Schreib mir schön die Namen der Kerle in den Sand, die dich so zugerichtet haben. Laß dir Zeit, du brauchst dich nicht zu beeilen.

Publius gibt Lavinia die Krücke. Sie macht es ihm nach und beginnt zu schreiben.

TITUS ANDRONICUS Was schreibt sie?
PUBLIUS Schändung.
TITUS ANDRONICUS Was weiter?
PUBLIUS Chiron.
TITUS ANDRONICUS Und noch?
PUBLIUS Demetrius.
TITUS ANDRONICUS
Die Schrift lösch aus im Sande. Niemand soll
Es wissen, wer die Tat begangen,
Als wir allein.
PUBLIUS
Jawohl, Feldherr.

Er nimmt die Krücke, erhebt sich und löscht mit seinem Bein die Schrift aus.

TITUS ANDRONICUS

Die Hand ist fort
Das Herz verdorrt
Es stinkt die Welt wie ein Abort.

Die Händlein weg
Das Zünglein weg
Die Welt ist voller Mäusedreck.

Das Schößchen auf
Zwei Kerle drauf
Die Welt nimmt einen schlimmen Lauf.

PUBLIUS Ist Euch nicht wohl, Feldherr?

TITUS ANDRONICUS Ich bin fröhlich, Soldat. Die Stadt muß voller Invaliden sein, wie du einer bist.

PUBLIUS Die hinken und karren sich in den Straßen herum, daß es kein Ende nimmt. Nicht nur w i r waren mit den Goten grausam, auch sie mit uns.

TITUS ANDRONICUS

Versammle alle Invaliden
In meinem Hofe, Publius.
Ich will als meine Freunde sie bewirten.

PUBLIUS

Gewiß, sehr schön, sehr vornehm, sehr human,
Doch was führt Ihr im Schilde, Herr?

TITUS ANDRONICUS

Den Unsinn
Der Welt kann nur der Wahnsinn noch bezwingen.

4. *Barbarisches Zelt*

Der Gotenfürst Alarich auf einem barbarischen Thron. Ein Gote bringt Lucius herein.

GOTE Alarich:
Der Römer Lucius.
ALARICH Zerstückelt ihn.
LUCIUS Ein Wort bloß.
ALARICH
Dein Vater Titus tötete mir zehn
Von meinen Brüdern, und du acht, das macht –
Rechnet mit den Fingern.
Achtzehn. In achtzehn Teile sei zerschnitten!
GOTE Jawohl. *Packt Lucius.*
LUCIUS Was nützt dir mein Tod?
ALARICH Ein Römer weniger!
LUCIUS Ich biete dir einen römischen Kaiser an.
ALARICH Laß los.

Der Gote läßt von Lucius ab.

ALARICH Saus ab!
GOTE Jawohl.

Geht ab.

LUCIUS Habt Dank.

ALARICH
Die Weltherrschaft ist unser großes Ziel.

LUCIUS
Unmöglich zu erreichen.

ALARICH
Wollen sehen.

LUCIUS
Es fehlt die Strategie.

ALARICH
Die Strategie?

LUCIUS
Die Kriegskunst.

ALARICH
Wir sind tapfer.

LUCIUS
Nur allzu tapfer und nur allzu kühn,
Ihr rennt und schlagt drauflos, wie's euch grad einfällt.
Von Schlachtordnung? Nicht die geringste Spur.

ALARICH
Wir brauchen keine Schlachtordnung.

LUCIUS
Dafür
Seid ihr auch immer schon geschlagen worden.

Der Gote kommt.

GOTE Ein Hunne ist gefangen.
ALARICH Hängt ihn auf!
GOTE Jawohl. *Ab*
ALARICH Was willst du?

LUCIUS
Ein Bündnis.

ALARICH
Gegen?
LUCIUS
Gegen Rom.
ALARICH
Ich liebe
Verräter nicht.
LUCIUS
Verrat ist meine Pflicht,
Denn Rom verriet Titus Andronicus.
Ich sammelte zehntausend Mann, mein Fürst.
ALARICH
Mein Heer zählt hunderttausend.

Der Gote kommt.

GOTE Ein Slawe ist gefangen.
ALARICH Rädert ihn.
GOTE Jawohl. *Ab.*
ALARICH Was schlägst du vor?
LUCIUS Ich schaffe
Aus deinen Truppen ein modernes Heer.
Fünf Keile in der Mitte, beide Flanken
Geschützt durch Reiterei; so rücken wir
Gegen Rom.
ALARICH
Und dann?
LUCIUS
Dann nehmen wir Rom ein.
ALARICH
Und dann?

LUCIUS

Dann werde ich Roms Kaiser sein,
Statt Saturnin.

ALARICH

Und dann?

LUCIUS

Dann schließen Goten und die Römer Frieden.

Der Gote kommt.

GOTE Ein Türke fiel vom Pferd.
ALARICH Enthauptet ihn!
GOTE Jawohl. *Ab.*

ALARICH

Mein Volk gehorcht mir.

LUCIUS

Wie am Schnürchen, Fürst.

ALARICH

Die Schlacht, die mögen wir
Gewinnen, doch die Mauern Roms sind nie
Bezwungen worden.

LUCIUS

Weil euch die Maschinen
Zu diesem Unternehmen fehlen,
Ich werde sie euch bauen.

ALARICH

Was du mir sagst, hat Sinn.
Nur eines scheint mir nicht zu stimmen: Wenn
Wir so ein Römerstädtlein überrannten,
Wir konnten nie Einwohner finden, leer
Die Straßen, Plätze, Häuser und Paläste.
Es war, als gäb' es keine Römer mehr.

Es war, als hätten sie die Kraft des Bösen,
Einfach ins Nichts sich aufzulösen.

LUCIUS Ihr wagtet euch nicht in die oberen Stockwerke.

ALARICH Ein Gote steigt nicht Treppen hoch.

LUCIUS
Ich baue euch ein Haus, ihr übt es täglich.

ALARICH
Mein Römer, deine Güte ist unsäglich.
Nimm als mein ehrlich Pfand, o Lucius,
Des Goten ewig treuen Bruderkuß.
Du wirst der Kaiser, ich werd dein Vasall,
So trotzen wir dem ganzen Weltenall.

Beide ab.

5. Ein Zimmer im kaiserlichen Palast

Chiron, Demetrius und Aaron sitzen an einem Tisch beim Würfelspiel.

CHIRON Der Kerl spinnt.
AARON Ich weiß nicht.
DEMETRIUS Seit neun Monden schon.
CHIRON Spinnt komplett. Er zieht
Mit allen Invaliden durch die Gassen.
Auf Karren Rümpfe, solche ohne Beine.
Auf Krücken stelzen die mit einem Bein,
Dazu viel Blinde, Arm- und Nasenlose.
Sie krähen Lieder von der Größe Roms
Und auf die weise Herrschaft Saturnins.
Die Polizei ist machtlos, denn kein Recht
Verbietet solchen Lobgesang auf Staat
Und Vaterland, obgleich, kaum zu ertragen,
Die hölzern' Beine auf dem Pflaster klappern.
Auch führen sie Theaterstücke auf,
Daß sich das Publikum vor Lachen krümmt,
Wenn zwei Beinlose einen Zweikampf führen.
Doch niemand kann das Possenspiel verbieten,
Denn allzu patriotisch sind die Stücke.
DEMETRIUS Verrückt.
AARON Ich weiß nicht.

Man hört einen furchtbaren Schrei.

CHIRON Die Mutter!

DEMETRIUS Endlich.

Der Sohn des Kaisers ist geboren.

CHIRON

Ein Sohn. Es kann auch eine Tochter sein.

DEMETRIUS

Noch besser. Dann würd ich einst Kaiser.

CHIRON

Wer weiß. Vielleicht werd's ich.

AARON

Wir würfeln weiter.

DEMETRIUS Drei.

CHIRON Fünfzehn.

AARON Achtzehn.

DEMETRIUS

Verdammt, dir fällt das Geld schon wieder zu.

CHIRON

Du plünderst uns wie immer aus.

Die Hebamme kommt mit einem von einem Tuch verhüllten Säugling.

HEBAMME Aaron!

AARON Was ist?

HEBAMME Alles ist vorbei.

AARON Im Tuch?

HEBAMME

Die Schmach der Kaiserin.

AARON

Na, na.

HEBAMME

Sie ist entbunden, Herr, sie ist entbunden!

AARON Schön.

CHIRON Von einem zarten Mädchen?

DEMETRIUS Von einem strammen Jungen?

HEBAMME

Von einem strammen Teufel! Seht den Sproß:
Verwünschter, schnöder, schwarzer, wüster Balg!
Hier ist das Kind, so widrig wie ein Molch
Bei weißen Kreaturen dieses Lands.

DEMETRIUS

Du Schurke, was hast du gemacht?

AARON

Ein Kind.

CHIRON

Der Kaiserin.

AARON

Na und?

CHIRON

Du Höllenhund!

DEMETRIUS

Die Mutter ist vernichtet.

AARON

Nein, verpflichtet.
Und wem? Dem Nigger, dem, den ihr verachtet,
Weil Weiß ihr schätzt, doch schwarze Farbe nicht.
Ich bin so glatt wie Ebenholz, doch eure
Visagen sind wie Ärsche voller Pickel;
Und ist Gott schön, ist er wie ich ein Neger,
Der Teufel sicher weiß mit blonden Haaren.

Demetrius und Chiron ziehen die Schwerter.

DEMETRIUS

Auf meinen Degen spieß ich gleich den Molch.

Gib mir ihn her, so ist er abgetan.

CHIRON

Auch meine Mutter kann den Mord nur wünschen.

Nimmt der Hebamme das Kind fort und zieht das Schwert.

AARON

Hinweg! Beim Sternenglanz des Firmaments,
Der lustig schien, als ich den Schelm gezeugt:
Ihr Läuse, geile Schwänze schalen Geistes,
Weißkalkige Wände, bunte Bierhauszeichen,
Ihr sterbt durch meines Säbels scharfen Stahl,
Wollt ihr euch meinem Sohn und Erben nahn.

HEBAMME

Aaron, was meld ich nun der Kaiserin?

DEMETRIUS

Bedenke, Aaron, wie zu retten sei:
Des Kaisers Wut wird die zum Tod verdammen,
Die Mutter uns, Geliebte dir und ihm
Die Gattin ist: Roms große Kaiserin.

AARON

Setzen wir uns, und überlegt mit mir.

Sie setzen sich auf den Boden nieder und denken lange nach.

AARON Wer sah das Kind?
HEBAMME Nur ich. Die Kaiserin ist noch ohnmächtig.
AARON Nur du? Vortrefflich.

Er ersticht die Hebamme.

AARON Der Königin ist geholfen.

Er wischt sein Schwert ab.

AARON

Holt euch im Armenviertel
Ein frisch gebornes Kind von irgendeiner,
Erwürgt es, legt's der Kaiserin zur Seite
Und meldet Saturnin die Totgeburt.

DEMETRIUS

Daß du so unsre Mutter schonst, muß sie
Wie wir dir herzlich danken, edler Mohr.

Chiron und Demetrius ab.
Aaron spricht mit seinem Kinde.

AARON

Dicklippiger Schelm, mein süßer Teufelsbraten,
Durch dich bin ich in arge Not geraten.
Nicht nur die Kaiserin würd' aufgeknüpft, auch ich,
Kämst du vor aller Welt ans Tageslicht.
Ich wurde mächtiger von Tag zu Tag,
Weil ich mit Huren stets im Bette lag.
Dem Beischlaf, nicht dem Geist, verdanke ich mein Glück,
Drum, Söhnchen, kehren wir nach Afrika zurück,
Durchqueren Meere, Wüsten, Steppen, Dschungel,
Und wenn wir einmal unter Kokospalmen mahlen
Mit weißen Zähnen blutige Römerknochen,
Die Bäuche voll von Ziegenmilch und Fleisch
Von Heiden, Christen, Juden und Chinesen,
So sind wir wieder, was wir einst gewesen,
Nicht Sklaven Roms, doch freie Kannibalen.

Aaron geht mit seinem Kinde ab.

6. Vor der Mauer des kaiserlichen Palastes

Titus Andronicus, der einbeinige Publius, der einäugige Sempronius, Caius und Sextus, zwei Beinlose, die sich auf kleinen, niedrigen, primitiven Wagen mit ihren Händen, vermittels Krücken, fortbewegen, erscheinen. Publius hat eine Tasche mit Briefen. Jeder hat einen Bogen, Titus Andronicus außerdem einen Köcher mit vielen Pfeilen.

TITUS ANDRONICUS
Genug der Possenspiele, jetzt wird's ernst.
Vergeblich suchten wir das Volk von Rom
Zu überzeugen, daß sein Vaterland
Das beste aller Vaterländer, daß
Sein Kaiser aller Kaiser bester sei.
Die Leute lachten bloß und hielten sich
Vor Lachen ihre Bäuche. Dieser Beifall
Erschüttert mich als Patriot aufs tiefste,
Beleidigt mich als Künstler, bringen wir
Doch wohlgeformte, positive Stücke.

PUBLIUS Feldherr, das liegt vielleicht weder an unseren wohlgeformten Stücken noch an unserer wohlgeformten Schauspielkunst, auch nicht an unserem wohlgeformten Publikum, sondern am Staat. Der ist vielleicht nicht wohlgeformt.

SEMPRONIUS Feldherr, dem Staat ist möglicherweise etwas abhanden gekommen, wie uns allen etwas abhanden gekommen ist: Euch, Feldherr, eine Hand, dem Publius an der Donau ein Bein, mir in Dalmatien ein Auge und den beiden Centurionen Caius und Sextus bei Ravenna beide Beine.

CAIUS Dem Staate könnte die Gerechtigkeit abhanden gekommen sein.

SEXTUS Dann nützt ihm seine Größe einen Mist.

TITUS ANDRONICUS Großartig, das ist ein Trauerspiel, worüber das Volk weinen und quietschen wird vor Vergnügen. Wir spielen die Tragödie von der abhanden gekommenen Gerechtigkeit. *Verneigt sich.* Ich beginne zu rezitieren.

Er stellt sich in Pose.

TITUS ANDRONICUS
Gerechtigkeit, ich selbst hab dich vertrieben,
Als ich zum Kaiserthrone dem verhalf,
Der uns jetzt als Tyrann heimsucht.
Gerechtigkeit, vergib mir, zeig dich wieder.

SEMPRONIUS
Geht, geht, forscht, forscht, sucht die Gerechtigkeit,
Denn gibt es sie, muß sie vorhanden sein.

TITUS ANDRONICUS Gut rezitiert, Sempronius, vortrefflich.

Caius rollt sich mit seinen Krücken auf seinem Wägelchen herum.

CAIUS
Gerechtigkeit, Gerechtigkeit,
Ich suche dich im Meer, werf Netze aus,
Doch haust du hier so wenig wie am Land.

Sextus rollt sich mit seinen Krücken auf seinem Wägelchen herum.

SEXTUS
Gerechtigkeit, Gerechtigkeit,
Ich dringe bis zur tiefsten Erde Kern
Und schrei in dunkle, unerforschte Gänge.

TITUS ANDRONICUS Keine Antwort.

SEMPRONIUS Sie schweigt.

CAIUS Kein Piepschen.

SEXTUS Niemand.

PUBLIUS Scheiße.

TITUS ANDRONICUS
Such weiter, Publius, such Hades auf,
Den Herrn der Unterwelt, und melde ihm,
Gerechtigkeit und Hilfe fehlen Titus.

PUBLIUS
Für Euch, Feldherr, stelz ich auch in die Hölle.

Er hinkt mit seiner Krücke herum.

SEMPRONIUS
Vielleicht versteckt sich die Gerechtigkeit
In einem Puff.

CAIUS
Vielleicht wälzt sie sich jetzt
Mit der Gewalt in einem Lotterbett.

SEXTUS
Vielleicht hat die Bestechung sie umgarnt.

Sempronius, Caius und Sextus singen und krähen und klappern mit ihren Krücken.

SEMPRONIUS, CAIUS, SEXTUS
Gerechtigkeit, Gerechtigkeit,
Wer hält dich aus, Gerechtigkeit?

Wer schmierte dich, Gerechtigkeit?
Mit wem hurst du, Gerechtigkeit?
Mit wem schläfst du, Gerechtigkeit?
Gerechtigkeit, Gerechtigkeit,
Wer zahlte dich, Gerechtigkeit?

TITUS ANDRONICUS
Nun, Publius, trafst du sie in der Hölle?

PUBLIUS
Nein, teurer Herr. Doch Hades läßt erwidern,
Wollt Ihr von ihm die Rache, schickt er sie,
Gerechtigkeit sei in Geschäften oben,
Er meint, bei Zeus, vielleicht woanders.

TITUS ANDRONICUS
Im Himmel? Dort sei sie? Weshalb?
Ermorden sich die Sterne wie die Menschen?
Gerechtigkeit, dort hast du nichts zu suchen.
Kommt, Publius, Sempronius, komm, Caius,
Komm, Sextus, kommt, wir holen sie herunter.
Zeigt mir die Kunst des Bogenschießens.

PUBLIUS Vortrefflich. Die Bittschriften für die Götter, uns die Gerechtigkeit zurückzusenden, sind schon geschrieben.

TITUS ANDRONICUS Höfliche Bittschriften?

SEXTUS Äußerst höfliche und lamentable Bittschriften.

Sie befestigen die Briefe, die ihnen Publius aus seiner Tasche reicht, an den Spitzen der Pfeile.

TITUS ANDRONICUS Nun zieht die Sehnen.

Sie schießen die Pfeile die Mauer des Palastes hoch.

CAIUS Ich traf den Perseus.

TITUS ANDRONICUS Gut, Perseus ist ein Held, und ein Held weiß zu köpfen, also ist Perseus ein Henker.

SEXTUS Ich traf den Pegasus.

TITUS ANDRONICUS Schlecht. Den Dichtergäulen fehlt meistens der Sinn für die Gerechtigkeit.

SEMPRONIUS Bums, Castor und Pollux traf ich mit einem Pfeil.

TITUS ANDRONICUS Macht sie munter.

SEMPRONIUS In beide Hintern.

TITUS ANDRONICUS Macht ihnen Beine.

PUBLIUS Ich ziele auf den Mars.

TITUS ANDRONICUS Ins linke Auge.

SEXTUS Ich auf Saturn.

TITUS ANDRONICUS Ins rechte Auge.

CAIUS

O Herr, weit über den Mond schoß ich hinaus,
Der Brief fiel in den Schoß des großen Zeus.

TITUS ANDRONICUS

He, Publius, was hast du denn vollbracht?
Der Stier! Du hast ein Horn ihm abgeschossen.

PUBLIUS

Feldherr, es war ein Irrtum. Als ich schoß,
Wurd' wild der Stier und stieß den Widder an,
Daß sein Gehörn herab zur Erde fiel.

TITUS ANDRONICUS

Dank, Freund. Die Götter werden interessiert,
Was hier auf dieser Erde wohl passiert.

Ein Bauer tritt auf, mit einem Korb mit einer Taube darin.

TITUS ANDRONICUS

Nachrichten von den Göttern. Seht den Boten.

Was bringst du, Freund? Sind Briefe für uns da? Erscheint Gerechtigkeit?

BAUER Ich habe zwar einen Vogel, aber Ihr scheint auch einen zu haben.

TITUS ANDRONICUS Du bist nicht der Götter Bote?

BAUER Ich glaube nicht an die Götter. Ich bin ein christlicher Bauer und glaube an den heiligen Sebastian.

TITUS ANDRONICUS Du kommst nicht vom Himmel?

BAUER Ich komme nicht vom und auch nicht in den Himmel. Der Himmel ist nur für die Reichen da, und ich bin ein armer Bauer. Ich will bloß in den Kaiserpalast, das ist mein einziger Wunsch, den ich noch auf Erden habe. *Schreiend* He, die Tore sind verrammelt. Laßt einen Käfig herunter und holt mich hinauf. Ich habe Audienz beim Saturnus oder wie er heißt.

TITUS ANDRONICUS Der Herr der Welt ist nicht mehr Saturn.

BAUER Dieser ewige Regierungswechsel.

TITUS ANDRONICUS Saturn fraß seine Kinder auf.

BAUER In der Politik geht es schlimm zu.

TITUS ANDRONICUS Der neue Herrscher der Welt heißt Zeus.

BAUER Auch ein schöner Name.

TITUS ANDRONICUS Was willst du bei Zeus?

BAUER Ich habe sechzehn Kinder gezeugt. Acht Buben und acht Mädchen.

TITUS ANDRONICUS Das ist doch kein Grund, Zeus aufzusuchen.

BAUER Und ob das ein Grund ist. Die Dienstboten von Saturn und Zeus, oder wie die Herren heißen, haben meine Kinder gemacht.

TITUS ANDRONICUS Es ist eine Ehre für eine Frau, von Saturn und Zeus Kinder zu bekommen.

BAUER Ich pfeif auf diese Ehre, und meine Frau pfeift noch mehr auf sie. Seht, Herr, das ist nämlich so: Ich plage mich den ganzen Tag, dann falle ich ins Bett und von Sinnlichkeit keine Spur. Doch des Nachts kommen die Kaiserlichen und plündern mir den Taubenschlag aus, weil die Herren Saturn und Zeus Taubeneier lieben, ich erwache, und wenn ich erwache, packt mich die Wut, und wenn mich die Wut packt, kann ich nicht mehr schlafen, und wenn ich nicht mehr schlafen kann, packt mich die Sinnlichkeit, und dann passiert es eben. Aber jetzt habe ich genug von diesen Anfechtungen. Meine Frau hungert, meine Kinder hungern, fünf sind schon gestorben, und mich hungert's, und der heilige Sebastian kann auch nicht mehr helfen. Ich gehe darum zum Herrn Zeus, oder wie er heißt, und fordere für die durch seine Taubeneierfresserei an mir verschuldete Sinnlichkeit Gerechtigkeit.

Von der Mauer des Kaiserpalastes wird ein Käfig heruntergelassen.

TITUS ANDRONICUS Du bist ein kluger Mann, Bauer.

BAUER Grips. *Tippt sich an die Stirne.*

TITUS ANDRONICUS Du hast recht, Zeus aufzusuchen.

BAUER Zivilcourage.

TITUS ANDRONICUS Wirst du dem Zeus auch eine Bittschrift von mir überreichen?

BAUER Kein Problem.

TITUS ANDRONICUS Was zu schreiben, Publius.

Publius hält ihm ein Pergament hin. Titus Andronicus schreibt. Sempronius, Caius und Sextus singen und krähen und klappern mit ihren Krücken.

SEMPRONIUS, CAIUS, SEXTUS
Gerechtigkeit, Gerechtigkeit,
Zeus hält dich aus, Gerechtigkeit,
Zeus schmierte dich, Gerechtigkeit,
Zeus hurt mit dir, Gerechtigkeit,
Zeus schläft mit dir, Gerechtigkeit,
Gerechtigkeit, Gerechtigkeit,
Zeus zahlte dich, Gerechtigkeit.

Der Bauer ist in den Käfig gestiegen.
Titus Andronicus gibt ihm die Bittschrift.

TITUS ANDRONICUS Verwahr sie gut.

Der Bauer wird im Käfig nach oben gezogen.

BAUER Ihr werdet Euer Recht bekommen, verlaßt Euch drauf. Ich bin ein ehrlicher Mann, der Herr Zeus ist ein ehrlicher Mann, und die Frau Zeus soll eine ehrliche Frau sein, auch wenn beider Dienstboten Schurken sind.

TITUS ANDRONICUS
Schickt weiter Pfeile zu den Göttern, Freunde,
Orion zu und nach dem Fuhrmann hin,
Trefft auch den großen und den kleinen Bären,
Schießt, Freunde, schießt die ganze Nacht hindurch.

7. Im Hofe des kaiserlichen Palastes

Im Hintergrund eine große Wand. Vor der Wand der Kaiserthron.
Auf dem Thron Saturninus. Er ist schwer gepanzert.
In die Wand schießen die Pfeile mit den Bittschriften des Titus Andronicus. Rechts im Vordergrund Tamora mit ihren Söhnen Chiron und Demetrius.

TAMORA
Mein Kaiser, komm in Sicherheit! Die Pfeile
Des alten Narren könnten dich verwunden.
SATURNINUS
Sie könnten mich auch töten. Doch es sei!
Sie löschten nur den größten Dichter aus,
Den Rom auf seinem Throne sah.

Ein Pfeil saust neben ihm in die Wand.

SATURNINUS Beim Zeus!
TAMORA
Mein Gatte, du bist leichenblaß.
SATURNINUS
Aus Kränkung nur und nicht aus Furcht. Ich trotze
Dem Schicksal, zuck mit keiner Wimper.

Ein weiterer Pfeil saust neben ihm in die Wand.

SATURNINUS Himmeldonner!

TAMORA

Mein Gatte, sei vernünftig, steig vom Thron.

SATURNINUS

Ich steige nicht vom Thron, ich bleibe sitzen.
Ich weiche nicht von hinnen. Bot man je
Roms Kaiser solche Kränkung, solchen Trotz,
Weil er das Recht erfüllt', den Spruch vollzog
An Bassianus' feigem Mörderpaar?

Ein neuer Pfeil saust in die Wand.

SATURNINUS

Der ging nur knapp daneben. Ob nun auch
Titus Andronicus von Sinnen kam,
Darf seines Wahnsinns Rasen uns bedrohen?
Da schreit er zu den Göttern um sein Recht,
Läßt Pfeile sausen.

Ein neuer Pfeil saust in die Wand.

SATURNINUS

Hier kam wieder einer.

Beginnt, Pfeile aus der Wand zu reißen.

SATURNINUS

Seht, hier an Zeus, an Venus, dies dem Merkur,
Das an Apollo, das dem Gott des Kriegs,
Recht saubre Zettel für den römschen Markt.
Heißt das nicht Lästrung wider den Senat?
Heißt das nicht in des Wahnsinns Sprache: Recht
Sei nicht in Rom zu finden, sondern Willkür?

Der Bauer kommt mit seiner Taube.
Ein neuer Pfeil saust in die Wand.

SATURNINUS Da! Wieder so ein Pfeil!
BAUER Verflixt, Herr Zeus!
Das ging haarscharf an Eurem Kopf daneben, aber zum Glück seid Ihr gepanzert wie ein Streitroß.
SATURNINUS Wer bist du?
BAUER Ich bin der Bauer Gnäus, und man nennt mich den Kindlibauer.
SATURNINUS Was willst du?
BAUER Ich habe Gerechtigkeit zu fordern und eine Bittschrift zu überbringen, Herr Zeus.
SATURNINUS Ich bin nicht Zeus, ich bin Saturnin.
BAUER Saturn? Dann habt Ihr Eure Kinder nicht aufgefressen?
SATURNINUS Ist denn jedermann in meinem Reiche wahnsinnig geworden?
BAUER Da sieht man wieder, wie man politisch falsch informiert wird.
SATURNINUS Her mit der Bittschrift!
BAUER Bitte, Herr Saturn.

Gibt ihm die Bittschrift.
Saturninus liest die Bittschrift.

SATURNINUS
Titus Andronicus an Saturnin:
Gib mir Gerechtigkeit, sonst aus der Hölle
Schickt Hades mir die finstre Rache zu.

Faltet die Bittschrift zusammen.

SATURNINUS Führt den Bauer hinweg und hängt ihn!
BAUER Ich soll gehängt werden?

Chiron und Demetrius treten vor und nehmen den Bauer in ihre Mitte.

CHIRON Und wie, mein Freund.
DEMETRIUS Auf der Stelle.
BAUER Gehängt? Und ich dachte, ich finde hier Gerechtigkeit. Da muß es doch wahr sein, daß Ihr, Herr Saturn, Eure Söhne aufgefressen habt.
CHIRON Unsinn. Wir sind seine Söhne.
BAUER Ich merke den Schwindel. Ich bin doch an den Zeus geraten. Meiner Seel, hängt mich, meine Frau und meine Kinder dürfen anständig verhungern, mein Hals nimmt ein sauberes Ende, und der heilige Sebastian wird für uns alle beten.

Chiron und Demetrius führen ihn ab.

SATURNINUS
Die Bittschrift sei des Titus Todesurteil.
Verstellter, falscher Hund. Du kröntest mich
Bloß in der Hoffnung, über Rom zu herrschen.
Zerreißt die Bittschrift.
Wenn nur mein Heer anwesend wäre. Fern
Von Rom kämpft es in Irland mit den Schotten,
Wie man mir sagt, doch kann's auch sein, daß es
In Schottland mit den Iren kämpft, wer weiß schon.

Ein neuer Pfeil saust in die Wand.

SATURNINUS
Jetzt ist's genug! Mein Leben sei nicht länger
Dem Wüten dieses Greises ausgesetzt.

Stürzt nach vorne zu Tamora.
Von links kommt Marcus Andronicus.

MARCUS ANDRONICUS Cäsar!
SATURNINUS Was gibt's?
MARCUS ANDRONICUS
Das Schicksal rollt, wie's will,
Bald ist es jenem günstig und bald diesem.
SATURNINUS
An diesem Hofe dichte ich.
MARCUS ANDRONICUS
Verzeiht,
Ich weiß, ich weiß. Die Goten kommen, Herr,
Von Osten her, in immer neuen Horden
Ziehn sie heran, wohl hunderttausend Mann,
Geführt von meinem Neffen Lucius,
Der seinen Vater rächen will.
SATURNINUS
Verflucht!
Verdammte Nachricht! Söhne!

Chiron und Demetrius kommen zurück.

CHIRON
Vater?
SATURNINUS
Habt ihr
Den Bauern aufgehängt?

DEMETRIUS
Er baumelt.

SATURNINUS
Hängt
Auch den!

Er zeigt auf Marcus Andronicus.

MARCUS ANDRONICUS
Mein Kaiser!

SATURNINUS
Deine Sippe bringt
Mir Unglück bloß und Untergang. Hinweg!

Marcus Andronicus wird hinweggeführt.

SATURNINUS
Die Sorge naht sich mir als ein Gespenst.
Ich werde mutlos, meine Hände zittern,
Die Wache wagt sich nicht mehr aus der Burg,
Die Tore sind verriegelt. Ängstlich späht
Ein jeder in die Stadt, und wer sich rauswagt,
Verläßt den Dienst, verläuft sich in der Menge.
Der Aufruhr herrscht, gefangen sind wir längst,
Und nun kommt Lucius mit seinen Goten!
Der rohe Pöbel liebt den Sohn des Titus,
Er wünscht sich ihn, nicht mich zu seinem Kaiser.
Verspielt hat Saturnin, zählt zu den Toten.

TAMORA
Sei wie dein Name kaiserlich gesinnt!
Verfinstert denn ein Mückenschwarm die Sonne?
Der Adler duldet kleiner Vögel Übermut.

Er weiß, wie mit dem Schatten seiner Flügel
Er nach Gefallen sie zum Schweigen bringt.
Drum fasse Mut. Der Gote, welcher sich
Mit Lucius verband, ist Alarich,
Mein Neffe, reichlich blöde und bekehrbar.
Ich will Andronicus bewegen, ihn
Und Lucius in seinem Hause zu empfangen
Und uns mit ihnen einzuladen. Du
Verhandelst dann zum Schein mit Lucius
Und schließest mit ihm Frieden, während ich
Als Gotin Alarich als Goten heimlich
Mit klugen Worten überrede, Titus
Und Lucius uns auszuliefern, daß
Ich endlich meine Rache an dem Alten,
Der mir den Sohn geschlachtet hat, vollende
Und ihn mit seinem Sohn zur Hölle schicke.

SATURNINUS

Wie willst du das erreichen? Titus ladet
Uns niemals ein.

TAMORA

Wenn ich ihn bitte, schon.
Im Wahnsinn wird er mich nicht kennen. Komm.
Verlassen wir zusammen diesen Hof.
Die Pfeile machen ihn uns zu gefährlich.

Beide ab.

8. Vor dem Hause des Titus Andronicus

Tamora, Demetrius und Chiron treten verkleidet auf.

TAMORA

So nun, in dieser fremden, düstern Tracht
Will ich Titus Andronicus begegnen.
Die Rache nenn ich mich, der Höll entsandt,
Und wenn er gläubig solchem Traumbild folgt,
Wird er den Sohn und Alarich einladen,
In seinem Hause sich mit Saturnin
Zu treffen.

Sie klopft unten an die Haustüre.
Titus Andronicus öffnet oben an der Hauswand ein Fenster.

TAMORA

Seht, er späht aus seinem Zimmer.

Titus Andronicus spricht von oben.

TITUS ANDRONICUS

Wer stört mich hier in meinem ernsten Werk?
Ausführlich schreib ich einen Brief an Zeus
Und lege ihm den Fall ausführlich dar,
Durch den ich fiel ins bodenlose Nichts.

Titus Andronicus schließt das Fenster wieder.

Tamora klopft wieder an die Haustüre.
Titus Andronicus öffnet oben zum zweiten Male das Fenster.

TITUS ANDRONICUS
Wer stört mich hier zum zweiten Mal, damit
Ich von den Plänen meiner Rache lasse,
Und all mein Sinnen ohne Wirkung sei?
Ihr irrt euch, denn was ich zu tun beschloß,
In blutverschmierten Zeilen schrieb ich's hin,
Und was ich aufgezeichnet, soll geschehen.

TAMORA
Titus, ich kam hieher, mit dir zu reden.

TITUS ANDRONICUS
Nein, nicht ein Wort. Kann ich mit Anmut reden,
Wenn eine Hand mir zur Gebärde fehlt?
Du bist zu sehr im Vorteil, darum schweig.

TAMORA
Du kennst mich nicht. Drum willst du, daß ich schweige.

TITUS ANDRONICUS
Ich bin nicht toll, ich kenne dich genau.
Der Stumpf bezeugt es und die Purpurschrift.
Du bist die Gotenfürstin Tamora.
Nicht wahr, du kommst um meine zweite Hand?

TAMORA
Unseliger, ich bin nicht Tamora,
Sie haßt dich, doch ich bin dir gut gesinnt.
Ich bin die Rache aus dem Höllenreich,
Gesandt von Hades selbst, dem Höllenfürst.
Komm und begrüß mich auf der Oberwelt,
Zieh mich zu Rate über Tod und Mord,

Denn keine Höhle gibt es, kein Versteck,
Wo Raub und Schandtat und verruchter Mord
Sich scheu verbergen, ohne daß ich sie
Entdecke wie die Tigerin die Beute.

TITUS ANDRONICUS

Du bist die Rache? Wirklich? Mir gesandt,
Um allen meinen Feinden Qual zu sein?

TAMORA

Ich bin's. Drum komm herab. Begrüße mich.

TITUS ANDRONICUS

Tu einen Dienst mir, eh ich dir vertraue,
Gib den Beweis, daß du die Rache bist.
Wer sind die beiden, die du mit dir führst?

TAMORA

Sie sind mir Diener und begleiten mich.

TITUS ANDRONICUS

Die beiden dienen dir? Wie nennst du sie?

TAMORA

Sie heißen Raub und Mord.

TITUS ANDRONICUS

Beim großen Zeus,
Wie gleichen sie Tamoras Söhnen
Und du der Kaiserin. Wir Menschen jedoch,
Wir sehen nur mit falschen, blöden Augen.
O süße Rache, nun komm ich zu dir.

Er schließt das Fenster wieder.

CHIRON Der Greis ist verrückt.

DEMETRIUS Den brachten wir um den Verstand.

CHIRON Und wie.

DEMETRIUS Total.

TAMORA Still.

Titus Andronicus erscheint in der Türe.

TITUS ANDRONICUS

O süße Rache, komm an meine Brust,
Lang warst du fern von mir, nun bist du da.
Verehrte, liebe Furie, ich dachte,
Du hättest mich und meinen Gram vergessen.
Ihr, Raub und Mord, seid gleichfalls mir willkommen.
Wie gleicht ihr Tamora und ihren Söhnen.

TAMORA

Was sollen wir für dich tun, Andronicus?

CHIRON

Zeig mir 'nen Mörder, und ich greif ihn an.

DEMETRIUS

Zeig mir 'nen Buben, der ein Weib entehrt,
Ich bin gesandt, um Rach an ihm zu üben.

TITUS ANDRONICUS

Durchsuch die frevelhaften Straßen Roms,
Und findest du einen Menschen, der dir gleicht,
Den töte, guter Mord, er ist ein Mörder.
Geh du mit ihm, und wenn's auch dir gelingt,
'nen andern aufzufinden, der dir gleicht,
Den töte, Raub, er ist ein Weiberschänder.
Und gehst du, Rache, zu der Kaiserin,
Die dir in allen ihren Zügen gleicht,
Gib ihr den Tod so grausam, als du kannst,
Sie war so grausam wie ein grausam Tier.

Von rechts kommen unmerklich Publius und Caius und von links Sempronius und Sextus herein.

TAMORA

Du hast uns wohl belehrt, wir wollen's tun.

Doch nun ersuch ich dich, Andronicus,
Sende zu Lucius, deinem letzten Sohn,
Der jetzt auf Rom mit vielen Goten zieht,
Und lade ihn mit Alarich ins Haus,
Bereit für sie ein festlich Essen vor.
Und wenn sie hier sind, wie zu deinem Fest,
Bring ich die Kaiserin und ihre Söhne,
Den Kaiser selbst und alle, die dich hassen,
Damit sie deiner Wut zum Opfer fallen.

Publius und Caius befinden sich nun hinter Chiron, Sempronius und Sextus hinter Demetrius, unbemerkt von Tamora und ihren Söhnen.

TITUS ANDRONICUS
Das tu ich gleich.

TAMORA
Ich geh an mein Geschäft
Und nehme meine Diener mit hinweg.

TITUS ANDRONICUS
Nein, nein, laß Raub und Mord bei mir,
Die brauch ich, meine Rache zu vollbringen.

TAMORA
Was sagt ihr, Diener?

DEMETRIUS
Rache, laß uns hier.

TAMORA
Titus, leb wohl; die Rache geht zu Taten,
Dir alle deine Feinde zu verraten.

TITUS ANDRONICUS
Das hoff ich, teure Rache; leb denn wohl.

Tamora ab.

CHIRON

Nun, Alter, sprich, was gibst du uns zu tun?

TITUS ANDRONICUS

Caius und Sextus, faßt sie bei den Beinen.

Caius umklammert Chirons, Sextus Demetrius' Beine.

TITUS ANDRONICUS

Sempronius und Publius, umklammert
Die Leiber beider Mordgesellen!

CHIRON Bist du verrückt?

DEMETRIUS Bist du von Sinnen?

TITUS ANDRONICUS

Da habt ihr recht, ihr Buben. Freunde, kennt
Ihr sie?

PUBLIUS

Jawohl, Feldherr, es sind die Söhne
Der Kaiserin, Demetrius und Chiron.

TITUS ANDRONICUS

Pfui, Publius, wie gröblich irrst du dich.
Der ein' ist Mord, der andere ist Raub,
Drum bindet sie mit Stricken fest, damit
Die Hölle sie nicht wiederum befreie,
Oft hab ich diese Stunde mir gewünscht,
Nun fand ich sie, nun heißt es sie auch nutzen.
Und stopft das Maul den beiden, falls sie schreien.

Titus Andronicus ab.

CHIRON

Laßt los, ihr Schurken!

DEMETRIUS

Gebt uns wieder frei!

CHIRON
Vier Barren pures Gold für unsere Freiheit!
DEMETRIUS
Acht Barren!
PUBLIUS
Bindet sie!
DEMETRIUS
Dann sechzehn Barren!
SEMPRONIUS
Das Gold ist euer, ihr seid unser,
Drum keine Worte mehr! Die Mäuler stopft!

Den beiden wird der Mund zugebunden.
Titus Andronicus kommt zurück mit einem Messer und Lavinia mit einem Becken.

TITUS ANDRONICUS
Lavinia, komm, die Feinde sind im Netz,
Nun laßt sie hören meinen Urteilsspruch:
O Schurken, Chiron und Demetrius,
Hier ist der Quell, den ihr mit Schlamm verdreckt,
Und hier bin ich, den ihr mit Hohn besudelt.
Durch euch verlor sie den Gemahl, die Brüder.
In einer Höhle habt ihr sie geschändet,
Ihr Hände und die Zunge abgeschnitten,
Mir ward die Hand geraubt aus Übermut.
Hört, Bübchen, welchen Qualen ihr bestimmt:
Mir blieb noch eine Hand, um eure Gurgeln,
Als wärt ihr wilde Tiere, durchzuschneiden,
Indes Lavinia das Becken hält
Mit ihren Stümpfen, euer Blut zu sammeln.
Das Blut vermeng ich mit dem Fleisch, die Knochen

Reib ich zu Mehl und knete einen Teig,
Und aus dem Teige bild ich eine Rinde,
Drin einzubacken eure Schurkenhäupter.
Kommt dann die Kaiserin, die teure Mutter,
Setz ich als delikates Fleischgericht
In goldner Schüssel euch der Hündin vor.
Der Erde gleich soll sie die Brut verschlingen,
Die sie geworfen. Reicht das Messer her!
Lavinia fang auf den Strahl. Das Blut
Ist warm und dampft noch in den finstren Himmel.

Titus Andronicus hat die Kehlen Chirons und Demetrius' durchgeschnitten.
Lavinia geht mit dem Becken voll Blut ins Haus.

TITUS ANDRONICUS
Nun bringt die Leichen, ich mach selbst den Koch,
Sie anzurichten, bis die Mutter kommt.

Alle ab.

9. Saal im Hause des Titus Andronicus

An einem langen, gedeckten Tisch Saturninus und Tamora.
Sie haben ihre Mahlzeit beendet. Titus Andronicus, im Kostüm eines Kochs, serviert.

SATURNINUS
Es wundert mich, daß du dich als ein Koch
Verkleidet hast, Titus Andronicus.

TITUS ANDRONICUS
Um Euer Gnaden aufzuwarten. Noch
Ein Nierchen, Leber, Hirn, ein Rippenstück?

SATURNINUS
Nein, danke, ich bin satt.

TITUS ANDRONICUS
Ihr, Kaiserin?

TAMORA
Ich auch.
Doch besser hab ich nie gegessen.

SATURNINUS
Die Fleischpastete war vortrefflich.

TAMORA
Die Soße unbeschreiblich.

SATURNINUS
Hoffe nur,
Daß Alarich und Lucius nicht zürnen,
Wenn sie hier nichts als kalte Reste finden.

TAMORA
Sie haben sich verspätet. Ihre Schuld.

Trompeten.

TITUS ANDRONICUS
Trompeten melden, daß die Fürsten nahn.

Lucius und Alarich treten auf.

SATURNINUS
In kaiserlicher Rüstung, Lucius?
Hat denn der Himmel mehr als eine Sonne?
LUCIUS
Was kümmert's mich, daß du dich Sonne nennst?
SATURNINUS
Das Reich, das ich regiere, ist zu groß
Für eine Sonne, vielleicht braucht es zwei.

Titus Andronicus verschwindet.

TAMORA
Du, Lucius, und du, mein Saturnin,
Kein Streit um Kleinigkeiten, gilt es doch,
Die Zukunft Roms vernünftig zu gestalten.
Indes die beiden gute Freundschaft schließen,
Komm, Alarich, wir lassen sie allein
Und führen ein Gespräch als nah Verwandte.

Titus bringt die verschleierte Lavinia herein und stellt sich mit ihr zwischen Saturnin und Tamora auf.

TITUS ANDRONICUS
Willkommen, Lucius und Alarich,
Treu meinem Sohn, verdienst du meine Treue.

Bevor ich dir jedoch die Ehr erweise,
Ein Wort an Saturnin, den Kaiser Roms.
Ich weiß, Ihr liebt die Poesie, ja schmiedet
Gar selber Verse. Löst mir drum die Frage,
Die mich seit langem quält die Nächte durch.
War's recht getan vom heftigen Virginius,
Sein Kind zu töten mit der eignen Hand,
Weil sie befleckt, entehrt, geschändet ward?

SATURNINUS

Das war's, Andronicus.

TITUS ANDRONICUS

Der Grund, erhabner Kaiser?

SATURNINUS

Weil das Mädchen
Nicht überleben durfte solche Schmach,
Die seinen Gram nur stets erneuert hätte.

TITUS ANDRONICUS

Ein Grund, nachdrücklich, streng und voll Gehalt,
Ein Vorgang, Mahnung, und ein Musterfall
Für mich, im Unglück, gleiche Tat zu tun:
Drum stirb, mein Kind, und deine Schmach mit dir,
Und mit der Schmach auch deines Vaters Leid.

Er ersticht Lavinia.

SATURNINUS

Was tust du, unnatürlicher Barbar?

TITUS ANDRONICUS

Ich traf, um die mein Aug erblindet war.
Ich bin so leidvoll als Virginius einst
Und habe tausendmal mehr Grund als er
Zu solchem Mord; – und jetzt ist er vollbracht.

SATURNINUS

Sie ist entehrt? – Wer hat die Tat verübt?

TITUS ANDRONICUS

Demetrius und Chiron schändeten
Das Mädchen, schnitten ihr die Hände ab
Und ihre Zunge, ungenannt zu bleiben.
Mit ihren Stümpfen, führend eine Krücke,
Schrieb sie der beiden Namen in den Sand.

SATURNINUS

Die zwei, die will ich sofort vor mir sehen!

TITUS ANDRONICUS

Hier waren sie! In dieser Fleischpastete.
Die Nieren, Leber, Hirn und Rippenstücke,
Die ihr genossen, stammen von den beiden,
Die Mutter schlang, was ihrem Bauch entsprossen,
Wie eine Wölfin gierig auf. Daß ich
Die Wahrheit spreche, Kaiser, zeugt mein Dolch.

Er ersticht Tamora.

SATURNINUS

Stirb, toller Hund!

Er ersticht Titus Andronicus.

LUCIUS

Tyrann, dann sterbe auch!

Er ersticht Saturninus.

ALARICH

Du lerntest Gotenehre kennen, Römer,
Nun kenne auch des Goten treues Schwert.

Er ersticht Lucius.

ALARICH
Macht alle Römer nieder, Goten! Laßt
Niemand am Leben, keiner komm' davon.

Er springt auf den Tisch.

ALARICH
Vom Himmel stieg Gerechtigkeit und ward
Zur Rache, die Gerechtigkeit verlangte,
Die wieder nach der Rache schrie; und so,
Die eine stets die andere gebärend,
Geht's weiter im stupiden Lauf der Zeit.
Bringt um, was lebt, häuft Leichen auf zu Bergen,
Verwüstet, plündert Rom, verbrennt's zu Asche,
Einst war es groß, nun ist es Schutt;
Einst herrschte es, nun herrschen wir, nach uns
Sind andere an der Reihe, uns drohn Hunnen,
Den Hunnen Türken, diesen die Mongolen;
Sie alle gierig nach der Weltherrschaft,
Die eine kurze Weltsekunde unser.
Was soll Gerechtigkeit, was soll da Rache?
Nur Namen sind's für eine üble Mache.
Der Weltenball, er rollt dahin im Leeren
Und stirbt so sinnlos, wie wir alle sterben:
Was war, was ist, was sein wird, muß verderben.

Anhang

Prinzipien der Bearbeitung von ›König Johann‹

Shakespeares ›König Johann‹ ist eine Bearbeitung des Stückes eines Unbekannten. Da wir dieses Stück besitzen, vermögen wir auch das dramaturgische Vorgehen zu verfolgen, das Shakespeare bei seiner Bearbeitung anwandte. Die Bearbeitung Shakespeares ist nicht eines seiner Meisterwerke, die Bearbeitung mußte offensichtlich in Eile geschehen. Er erzählte seine Vorlage in wenigen Szenen, darum oft rhetorischer, vieles, was im alten Stück dargestellt wird, läßt er berichten. Was nun meine Bearbeitung der Bearbeitung Shakespeares betrifft, so benutzte ich die Übersetzung Schlegels. Ich übernahm die Spielkonstellation Shakespeares, die er schon von seinem Vorgänger übernommen hatte, um sie neu durchzudenken. Ich stellte mir die Aufgabe, die dramaturgische Dialektik des vorhandenen Spielmaterials reiner herauszuarbeiten, die ständigen Peripetien beizubehalten, die auch bei Shakespeare vorhanden sind, und zu einem eleganteren Endspiel zu kommen; das Spiel zu verkürzen, statt des mühsamen Kleinkrieges, mit dem Shakespeare und sein Vorgänger ihr Matt erzielen, es mit wenigen Spielzügen zu erreichen und so die Handlung durchsichtig zu machen. Aus einer dramatisierten Chronik wird ein Gleichnis: die Komödie der Politik, einer bestimmten Politik.

Doch ist Dramaturgie nicht ohne weiteres mit einem Schachspiel zu vergleichen. Im Schachspiel sind die Zugsmöglichkeiten jeder einzelnen Figur durch Konvention festgelegt, in der Dramaturgie sind die Zugsmöglichkeiten der einzelnen Figuren von ihren Charakteren abhängig. Änderungen der Charaktere ergeben auch bei gleicher Ausgangslage eine andere Spiellogik, ein Springer kann sich wie ein Läufer verhalten. So auch bei meiner Bearbeitung. Einigen Figuren ließ ich ihre Charaktere, anderen änderte ich sie, wenn auch eine genaue Analyse meiner Bearbeitung vielleicht zeigen könnte, daß ich überhaupt alle Figuren charakterlich verändert habe. Indem ich zuerst wenig veränderte, mußte ich am Ende alles verändern, eine anders gestellte Weiche scheint den Zug zuerst in die gleiche Richtung zu führen, bis er sich mit der Zeit immer mehr von seinem ursprünglichen Ziel entfernt.

Das neu gesehene Verhältnis Johann–Bastard stellt die Weiche um. Bei Shakespeare erscheint Johann als ein schwacher, grausamer König, der sein Land ins Unglück stürzt, als ein Bühnenbösewicht ohne Glanz und Glück. Ich wertete ihn auf, was sich gewiß historisch rechtfertigen ließe, wenn sich ›König Johann‹ an die Geschichte hielte. Shakespeare und sein Vorgänger taten es nur vage. Ich noch vager, es geht darum, brauchbare Geschichten für die Bühne zu schreiben, nicht, auf der Bühne eine Volkshochschule für Geschichte zu veranstalten. Die Geschichte ist ein Stoff für Geschichten, doch jeder Stoff muß zugeschnitten werden, damit er eine Geschichte wird. Der historische Johann war bedeutend durch seine Fähigkeit, aus fatalen Lagen einen Ausweg zu finden, bei mir findet er diese Auswege zwar nicht selbst, sondern indem er den Ratschlägen des Bastards gehorcht. Doch scheint mir die Fähigkeit, einem vernünftigen Rat zu gehorchen, durchaus unseren Respekt zu verdienen, auch wenn der Vernunft nur gehorcht wird, um den eigenen Kopf zu retten: Viele Politiker sind nicht einmal dazu fähig, sie rennen auf Kosten anderer in ihr eigenes Verderben. Was den Ratgeber König Johanns betrifft, den Bastard Philipp Faulconbridge, so ist er bei Shakespeare und mir ein Außenseiter. Doch durch seine politische Haltung, die er bei Shakespeare einnimmt, wird er für uns doch etwas bedenklich. Nichts gegen diesen wilden Prachtskerl, aber ein Patriotismus um jeden Preis leuchtet uns nicht mehr ohne weiteres ein. Der Bastard ist bei Shakespeare ein Ideologe. Beziehen sich die Könige Johann und Philipp auf Gott, ihre Macht zu begründen, fügt der Bastard als neuen ideologischen Faktor das Volk hinzu. Johann ist für ihn nicht in erster Linie ein Plantagenet, sondern der König Englands, dem, als König Englands, unter allen Umständen die Treue zu halten ist. Doch die ideologischen Formeln Shakespeares Johann = England und Philipp = Frankreich sind für uns nicht aufrechtzuerhalten. Für uns gilt die Formel Johann = Philipp = Feudalismus. Was wir in meiner Bearbeitung erleben, ist der politische Machtkampf innerhalb eines Systems, zu dem nicht nur die Plantagenets und die Capetinger gehören, sondern auch – da sich, ideologisch gesehen, die Dynastien metaphysisch begründen – die Kirche. Der Bastard steht außerhalb dieses Systems, das heißt, es erscheint ihm als System, weil er den Begründungen des Systems nicht glaubt: Gewalt erscheint ihm als Gewalt und nicht als göttliche und damit unverständliche Weltordnung oder als Schicksal. Mein Bastard ist weder Ideologe noch Moralist, für ihn sind die Könige die Machthaber und die Völker die Opfer dieser Machthaber. Was er von den Königen verlangt, ist allein, daß sie vernünftig regieren, er versucht Johann vernünftig zu machen. Indem Johann dem Bastard gehorcht, wird er zum Reformpolitiker. Doch jede Reform ruft den Widerstand des ganzen Systems hervor, so daß jeder vernünftig durchgeführte Zug durch die Reaktion des Systems eine noch schlimmere Lage schafft, die wiederum den Bastard und Johann zu noch tiefgreifenderen Reformen zwingen, bis sie schließlich die Magna Charta vorschlagen. Auch spielt, wie bei jeder Politik, der Zufall mit hinein und der Umstand, daß nie alle Handlungen vorauszuberechnen sind. Zu viele Faktoren sind in der Politik im Spiel, als daß sie narrenfrei sein könnte. Von dieser Dialektik aus ist auch das Ende Johanns zu sehen: er setzt sich innerhalb seines Systems stilgerecht selber schachmatt. Die Reform eines Systems ist immer eine halsbrecherische Angelegenheit, sie stellt, ob sie will oder nicht, das ganze System in Frage.

König Johann ist ein politisches Stück, das ist es bei Shakespeare und das ist es bei mir. Es zeigt die Maschinerie der Politik, das Zustandekommen ihrer Abkommen und ihrer

Unglücksfälle, doch ist es ein Spiel unter den Mördern, nicht unter den Opfern. Ich habe auf die naheliegenden Manipulationen verzichtet, die man heute oft bei Shakespeare-Bearbeitungen anwendet, ich habe keine Volksszenen eingebaut, die Opfer, die nicht zur herrschenden Klasse gehören, erscheinen als bloße Zahlen, wieder sind sechstausend oder siebentausend gefallen.

Ein altes Stück, im Grunde nur revidiert, aber im alten Stile gehalten. Bewußt. Damit wird die Möglichkeit, es auf unsere Zeit zu beziehen, um so schrecklicher: Daß uns *König Johann* immer noch angeht, weist unsere Problematik auf. Ein böses Stück, ich bestreite es nicht, doch wird es von unserer Zeit bestätigt.

Geschrieben 1968 für die erste Buchausgabe.

Theaterarbeit. Änderungen

Der Text eines Theaterstückes ist eine Partitur, die auf der Bühne in ein Spiel umgesetzt werden muß. Dieses Umsetzen nennen wir Theaterarbeit. Sie ist ein Erproben und damit ein Durchdenken des Textes und kann nachträgliche Änderungen erzwingen.

Bühne: Zuerst stellt sich die Frage nach der Gestalt der Bühne. Wir wählten eine Bühne, die durch zwei veränderbare Elemente bestimmt wurde. Das erste Element bildete eine von hinten angeleuchtete transparente weiße Bühnenrückwand im Zug, die durch hinter ihr an Zügen befestigte bewegliche schwarze Vorhänge unterteilt werden konnte. Vor der transparenten weißen Bühnenrückwand hing eine transparente schwarze Fläche im Zug. Dadurch konnte der untere Teil der weißen Bühnenrückwand schwarz erscheinen (um etwa die Stadtmauer von Angers anzudeuten). Auch war eine beliebige senkrechte Einteilung der

Bühnenrückwand in Schwarz und Weiß möglich oder die Bildung eines kleinen weißen Rechtecks (Gefängnistüre). Das zweite veränderbare Element bestand in verschiedenen 1,60 m breiten und 2,50 m hohen Wänden, die in Schienen liefen und auch beliebig schräg gestellt werden konnten. Die Wände waren einfachen Wappenschildern angenähert und dienten dazu, die Bühne zu begrenzen und zu gestalten (zum Beispiel, indem sie Badekabinen vortäuschten). War der Spielort in Frankreich, waren die Wände blau, war er in England, waren sie rot. Die Kostüme waren einfach und roh (stilisiertes primitives Mittelalter), die Kleider der Engländer rot, jene der Franzosen blau. Für den Krieg zog man weiße Metzgermäntel aus Plastik an, nach dem Krieg erschien man blutbesudelt. Die Verwandlungen geschahen auf offener Bühne. Die Pause war nach der zweiten Szene des dritten Aufzugs.

1) Erster Aufzug, erste Szene, Seite 11
Szenische Veränderungen: Eine Handlung entwickelt sich nicht aus dem Nichts heraus, sondern aus einer andern Handlung. Wir ließen die Handlung aus einem Gerichtstag im königlichen Palast zu Northampton hervorgehen. Zuerst ertönten hinter dem geschlossenen Vorhang drei Schläge. Dann öffnete sich der Vorhang, und die drei traditionellen Theaterschläge erwiesen sich als etwas anderes: als drei Enthauptungen. Im Hintergrund standen auf einem Podest Lords. In der Mitte der Bühne in Sesseln von links nach rechts: Eleonore, König Johann, Blanka. Links von ihnen stand Chatillon. Rechts von ihnen standen Essex, Salisbury und Bigot, ganz rechts der Henker, sein Beil abwischend, zu Füßen des Richtpflocks ein enthaupteter Leichnam und drei Körbe. Ein Soldat schleppte den Leichnam nach rechts hinaus. Essex, Salisbury und Bigot traten zu den Körben, bedeckten jeden Korb mit einem schwarzen Tuch, legten auf jeden Korb eine Herzogskrone und trugen die drei Körbe hinaus. Der Henker nach rechts ab. Dann erst beginnt König Johann: Nun, Chatillon, sag, was will Frankreich uns ...

Blanka: Im Verlauf der Proben stellte sich heraus, daß Blanka geändert werden mußte. Shakespeare hatte sie als ein rührendes, naives Wesen hingestellt, die neue Konzeption konnte diesen schönen Charakterzug nicht mehr beibehalten. Blanka wurde zu einer selbstbewußten reichen Millionenerbin gemacht, die sich den Bastard leisten will.

2) Zweiter Aufzug, erste Szene, Seite 25

Vor der schwarzen Stadtmauer eine schwarze zusammenklappbare Treppenleiter. Im Hintergrund vor der Stadtmauer spielten Louis und Isabelle Krocket, zu denen sich später Österreich in einem grünen Kleid gesellte. Die Vorstellung Arthurs geschah so, daß ihn Philipp in die Arme nahm, ihn in die Arme Österreichs legte, der ihn Louis in die Arme legte, worauf der mit den Worten: »Ein edles Kind, wer stünde ihm nicht bei«, den Knaben in die Arme Konstanzens legte. Nach der Begrüßung der Engländer servierte während der Verhandlung der Bastard Eleonore und Blanka Tee, hielt darauf weiterhin eine Teetasse in der Hand, erschien so zuerst als Höfling. Alle Auftretenden trugen Feldstühle mit sich.

3) Seite 44

Um die Antwort des Bastards für Blanka beleidigender ausfallen zu lassen.

4) Seite 48

Es stellte sich die Frage, wie das wichtige Gespräch König Johann–Bastard zu spielen sei. Wir entschieden uns für eine Rasierszene. Der Bastard hat sich hervorgetan, seine Ratschläge sind akzeptiert worden. König Johann beschließt instinktiv, ihn zu demütigen, indem er ihn als Lakaien behandelt. Die zwei gereimten Verse König Johanns sollen die Rasierszene vom Vorhergehenden abheben.

5) Seite 55

Der Auftritt des Kardinals: Wir hatten für ihn eine monströse Sänfte mit Dach und Kreuz und einer Klapptüre zum Einsteigen gebaut, wir ließen sie zuerst von Mönchen von links nach rechts über die Bühne tragen, der Auftritt geriet zu grotesk, zu unwahrscheinlich, aus der Sänfte wurde ein falsches Bühnenrequisit. Wir wählten darauf den kürzeren Auftritt, die Mönche stellten die Sänfte von links kommend links außen hin, und es war, als ob eine neue Schachfigur ins Spiel käme.

6) Seite 60

Die rührende Klage Blankas bei Shakespeare ist gestrichen.

7) Dritter Aufzug, zweite Szene, Seite 63

Die Szene muß wie im Blutrausch gespielt werden. Der Bastard, König Johann und die andern Lords in blutbesudelten Metzgermänteln. Während des Gesprächs mit dem Bastard und mit Chatillon zieht sich der König aus, gießt aus einer Schüssel des Hochzeitstisches Wasser über seinen nackten Oberkörper, trocknet sich mit einer Serviette, trinkt usw.

8) Seite 65

Grotesker Spielvorschlag, doch nicht ohne Logik.

9) Dritter Aufzug, dritte Szene, Seite 67

Szenische Änderung.

Der Beginn nach der Pause erwies sich als besonders schwierig zu inszenieren. Als Ort hatten wir zuerst Le Mans, Zimmer in einem Palast. Die Szene blieb rhetorisch und überzeugte nicht. Die Frage Katharina Tüschens, welche die Konstanze spielte, »Warum trete ich überhaupt auf?« gab den Ausschlag. Der Spielort überzeugte nicht. Wir ließen die Szene in einer Kapelle spielen, beim Beichten und Beten.

10) Vierter Aufzug, zweite Szene, Seite 82

Die Rüstungen der Lords müssen primitiv sein und nicht komisch wirken. Ohne Helm, nur Brustpanzer, Panzerschurz, Arm- und Beinschienen. Dazwischen roher Stoff.

11) Seite 101

Es ist dramaturgisch wichtig, daß das Paar Johann–Bastard hier szenisch sichtbar vom Kardinal getrennt wird.

12) Seite 105

Mit der besten Karte meint er Blanka.

Geschrieben 1968 für die erste Buchausgabe.

Notizen zu ›Titus Andronicus‹

Hans Matter, der für den Birkhäuser-Verlag, Basel, Shakespeares dramatische Werke herausgab, bemerkt zum ›Titus Andronicus‹: »Eine direkte Quelle ist seltsamerweise nicht bekannt.« Es ist daher möglich, im Erstlingswerk Shakespeares die einzige Tragödie des großen englischen Dramatikers zu sehen, die er frei erfunden hat. Damit ließe sich erklären, weshalb im ›Titus Andronicus‹ Motive vorkommen, die bei Shakespeares späteren Stücken eine große Rolle spielen. Wer sich deshalb mit Shakespeare beschäftigt, kommt um den ›Titus Andronicus‹ nicht herum. Auch das Theater nicht und auch nicht der Dramaturg, und als ›Dramaturg‹, der ich als Stückeschreiber schließlich auch bin, habe ich mich mit diesem Stück beschäftigt. Wenn sich jedoch meine Bühnenfassung (der die Übersetzung Baudissins zugrunde liegt) nicht mit dem Urtext deckt, ja oft beträchtlich von ihm abweicht, so geschah das nicht, um Shakespeare zu ›verbessern‹, sondern weil ich den ›Titus Andronicus‹ für unübersetzbar halte. Wenn auch Shakespeare den Stoff frei erfunden haben mag, so übernahm er doch, mehr als er das später tat, die Form des Theaters, das er in seiner Jugend vorfand. Seine Sprache ist noch jene des frühen elisabethanischen Theaters, dem Seneca als großer Dramatiker galt und dessen hemmungslose bilderreiche und mehr pathetisch-lyrische als pathetisch-dramatische Rhetorik es übernahm. ›Titus Andronicus‹ sah ich zum ersten Male in Paris, in einer langen Hauptprobe mit der berühmten Truppe Peter Brooks, die dort ein Gastspiel gab. Die Hauptprobe dauerte vom frühen Nachmittag bis tief in die Nacht hinein. Ich kannte das Stück nicht, verstand zu wenig Englisch, um es zu verstehen, dennoch war der Eindruck außerordentlich.

Die Pathetik riß hin. Das Englische ist noch eines Pathos fähig, dessen wir nicht mehr fähig sind. Vielleicht, weil gerade wieder das Englische zu einer Sachlichkeit und zu einer Unterkühlung neigt, die dem Deutschen ebenfalls nicht eigen ist: es ist daher nur logisch, wenn heute in England wieder Seneca gespielt werden kann. Unter dem Eindruck dieser Aufführung war es schon lange mein Plan gewesen, den ›Titus Andronicus‹ auch der deutschen Bühne wieder zugänglich zu machen. Inzwischen haben es andere versucht. Ich schlug einen andern Weg ein, nicht den der Übersetzung oder der Persiflage, sondern den der Bearbeitung: Bearbeitung aus Treue Shakespeare gegenüber. Das mag paradox erscheinen, stellte sich jedoch zwangsläufig ein. Indem ich mich nur meiner Sprache bedienen konnte, um den Eindruck eines Werkes wiederzugeben, den es mir damals als theatralisches und nicht als literarisches Ereignis machte, bemächtigte sich auch meine Sprache des Stoffes und wandelte ihn nach ihren Gesetzen um. Ändert sich die Sprache, ändert sich der Stoff. Der Stoff eines Stücks wird durch die Handlung dargestellt. Ändert sich die Sprache, ändert sich damit auch die Handlung. Dieser Satz ist freilich nicht beweisbar, er ist mein dramaturgisches Credo.

Zur Handlung ist zu bemerken: Das elisabethanische Theater benutzt die Handlung, um die damals herrschende Klasse der Aristokratie auf der Bühne vermittels unglaublicher Intrigen zu allen denkbaren Greueltaten zu verführen und allen denkbaren Leiden zu unterwerfen; ein Vorgehen, welches die Aristokratie gestattete, weil sie es sich leisten konnte, es zu gestatten: die Aristokratie fühlte sich sicher. Sie sah im elisabethanischen Theater ein Forum, auf dem sie nicht angegriffen, sondern dargestellt wurde, und so sah sie auch in Shakespeare nicht ihren Feind, sondern ihren Dichter. Die Aristokratie spielte auf der Bühne des elisabethanischen Theaters mit offenen Karten. Nicht nur in der Sprache, auch in der Handlung ahmt im ›Titus Andronicus‹ der junge Shakespeare das elisabethanische Theater seiner Vorgänger nach. Maßlose Helden stehen maßlosen Ungeheuern gegenüber. Doch stellt er die Welt, die er wiedergibt, nur dar, nicht in Frage. Die Welt ist so, wie sie ist, und kann nicht anders sein. Die Helden und die Ungeheuer gehen gemeinsam unter, die ersteren tragisch, indem sie mit ihrem Untergang die Gerechtigkeit wiederherstellen, die andern zum Ergötzen der Zuschauer, indem sie ihre gerechte Strafe finden. Das Ende ist eine leere Bühne, die neuer Schrecken harrt. Was nun meine Bearbeitung betrifft, so ging ich psychologischer vor. Damit wurden viele der mechanisch motivierten Spielzüge der Intrige, die das elisabethanische Theater benutzt, überflüssig und konnten weggelassen werden. Nicht die Handlung an sich interessierte mich, sondern der menschliche Hintergrund derselben. Weshalb geht Titus Andronicus zu Beginn des Stükkes grausam, warum töricht vor? Welcher Mensch verbirgt sich hinter dem Bühnenungeheuer Aaron? usw. Außerdem war ich bemüht, die politischen Aspekte herauszufinden. Unsere Zeit hat uns zu politischen Menschen gemacht, auch wir können Shakespeare nur noch politisch lesen. Damit freilich war ich gezwungen, die Handlung unerbittlicher zu Ende zu denken, als das bei Shakespeare der Fall sein durfte. ›Titus Andronicus‹ spielt zwar im letzten Jahrhundert des römischen Imperiums, dessen Bürger Patrioten sind und an die Gerechtigkeit und an Götter glauben, doch ist dieses Rom mehr fingiert als wirklich. Weder gab es je einen Kaiser Saturninus noch einen römischen Feldherrn Titus Andronicus. Für unser Denken weist ein solcher Staat, wie ihn hier Shakespeare zeichnet, sowohl spätbürgerliche als auch ›spätsozialistische‹ Züge auf. An den Patriotismus glauben nur jene, die von ihm profitieren, die Mächtigen, und die Gerechtigkeit dient dazu, deren Macht zu legitimieren. Aus einem Spiel innerhalb einer veralteten Gesellschaftsordnung ist bei mir ein Endspiel mit einer veralteten Gesellschaft geworden. Der erbarmungslose Kampf der Mächtigen untereinander führt den Untergang Roms herbei. Das geschieht durch den Aufstand der Invaliden (des kastrierten Volkes), welche die

Ideologie der Mächtigen als Waffe gegen sie benutzen, und es geschieht durch die politische Naivität derer, welche die Gerechtigkeit wiederherstellen wollen, ohne eine neue politische Idee zu besitzen, sie gehen deshalb rein emotional vor und öffnen dem König der Westgoten treuherzig die Tore der Stadt. Doch verfolgte ich mit der Einführung der Figur des Alarich nicht die Absicht, die unglückliche Geschichte des Titus Andronicus historisch anzusiedeln. Alarich ist für mich weniger eine historische als eine mythische zerstörerische Größe, ein Trauma der Geschichte, hat doch dieser Eroberer, bevor er am 24. August 410 n. Chr. Rom zerstörte, erstaunlicherweise schon vor dem Jahre 400 in einem Feldzug gegen Ostrom Korinth, Argos und Sparta zerstört, während er Athen nur verschonte, weil ihm die Stadt ein hohes Lösegeld zahlte. Damit aber ließe sich auch eine Parallele zu meiner Komödie *Romulus der Große** ziehen. Auch hier findet die Antike ihr Ende. Man könnte nun finden, daß ich mich wiederholt habe. Doch geht es dem Stückeschreiber wie dem Träumer. Von den vielen Träumen, die er träumt, sind diese, so verschieden sie sind, doch immer wieder die gleichen.

Geschrieben 1970. Erschienen in: ›Dramaturgisches und Kritisches. Theater-Schriften und Reden II‹, Verlag der Arche, Zürich 1972.

*Werkausgabe Bd. 2, detebe 250/2.

Materialien zu ›König Johann‹ und ›Titus Andronicus‹

Zum *König Johann* sei noch einmal bemerkt, daß ich das gleichnamige Königsdrama Shakespeares, die Bearbeitung eines zweiteiligen Stückes, das vielleicht doch auch von Shakespeare sein mag, nicht für das Meisterwerk halte, für das es Gustav Landauer hielt und seitdem viele Kritiker, die statt des Stückes Landauer lesen: Wer liest nicht alles statt Stücke über Stücke. Als Bearbeiter des ›King John‹ mußte ich ihn lesen, zuerst in der Übersetzung Schlegels, dann in einer Rohübersetzung; daß das von Landauer hochgelobte Stück selten gespielt wurde, mußte an der Übersetzung liegen. Je mehr ich es studierte, desto überzeugter wurde ich: es lag am Stück. Aus einer Bearbeitung wurde eine Umarbeitung. Nun halte ich es für sinnlos, einen ›Macbeth‹ oder einen ›Lear‹ umzuarbeiten, wohl aber einen ›König Johann‹ oder einen ›Titus Andronicus‹; sie sind mehr Rohstoff für Stücke als Stücke. Freilich war ›König Johann‹ früher bekannter als heute. Die Rolle des jungen Arthur war eine beliebte Hosenrolle. Und in Zeiten, in denen absoluter Patriotismus geboten war, scheint ›King John‹ in England mit einer gewissen Vorliebe gespielt worden zu sein: Mag die Regierung noch so mangelhaft sein, man muß zu ihr halten. Bekannt ist auch, daß Goethe in seiner Elegie ›Euphrosyne‹, Juni 1798, in Erinnerung an die jung verstorbene Christiane Neumann beschreibt, wie er mit der Schauspielerin die Szene einübt, in der das Kind Arthur, von Frankreich für den rechtmäßigen König Englands gehalten, vom Kämmerer Johanns, Hubert de Burgh, in der Burg von Northampton geblendet werden soll, und wie Arthur ihn umstimmt. Ich habe diese wohl berühmteste Szene des Stückes, die erste im vierten

Aufzug [im Anhang dieses Bandes abgedruckt], geändert: Ich halte nichts von Rührszenen, und die Anordnung der Blendung ergibt innerhalb der Shakespearischen Dramaturgie als bloße Grausamkeit keinen Sinn. In der dritten Szene des dritten Aufzugs liefert Johann Hubert den gefangenen Arthur aus:

KÖNIG JOHANN
Er ist 'ne rechte Schlang in meinem Weg,
Und wo mein Fuß nur irgend niedertritt,
Da liegt er vor mir: du verstehst mich doch?
Du bist sein Hüter.

HUBERT
Und will so ihn hüten,
Daß Eure Majestät nichts fürchten darf.

KÖNIG JOHANN
Tod.

HUBERT
Mein Fürst?

KÖNIG JOHANN
Ein Grab.

HUBERT
Er soll nicht leben.

KÖNIG JOHANN
Genug.
Nun könnt ich lustig sein; Hubert, ich lieb dich,
Ich will nicht sagen, was ich dir bestimme.
Gedenke dran! –

Im ersten Aufzug des vierten Akts gibt darauf Hubert Arthur einen Brief zu lesen, in dem Johann Arthurs Blendung befiehlt; um so merkwürdiger, als er doch seinen Tod will. Nun war der historische Arthur ein sechzehnjähriger Ritter, der Sohn Geoffreys, eines älteren Bruders Johanns. Bei der Belagerung des Schlosses Mirabeau in Poitou, in dem sich Arthurs Großmutter

Eleonore, Gattin Heinrichs II., aufhielt, wurde er von Johann gefangen und dem Festungskommandanten von Rouen, Hubert de Burgh, übergeben, »der durchblicken ließ, er habe auf Befehl des Königs seinen Gefangenen Ostern 1203 Boten ausgeliefert, die Johann geschickt hatte, damit sie jenen kastrierten; und Arthur sei an jenem Schock gestorben.« (Churchill, A History of the English-Speaking Peoples, Band I). Warum Shakespeares Vorgänger und Shakespeare (ob sie nun identisch sind oder nicht) aus der politisch sinnvollen Kastration (ein Eunuch kann nicht König sein) eine sinnlose Blendung machten, die nicht vollzogen wird, so daß Arthur, der ja sterben muß, bei einem Sprung über die Burgmauer tödlich verunglückt, muß ich offenlassen: vielleicht folgten sie einem noch älteren Stück. Doch läßt sich nicht alles, wie Landauer es tut, als große Dichtung erklären; Shakespeare war den Vorurteilen und oft genug der Vorsicht unterworfen, welche in den politischen Umständen seiner Zeit begründet waren. Wenn Churchill über Johann urteilt, »daß die englisch sprechende Welt seinen Lastern weit mehr verdanke als den Bemühungen tugendhafter Herrscher, weil das Zusammenspiel vieler Mächte gegen ihn tatsächlich zur Errichtung des berühmten Meilensteins der englischen Rechte und Freiheiten geführt habe« (nämlich zur Magna Charta), so spielte diese für den Elisabethaner Shakespeare keine Rolle, ja, es ist fraglich, ob er sie überhaupt kannte. Johann war für Shakespeare ›Johann ohne Land‹, der König, der England an den Papst verriet. Er ist denn auch sein farblosester König, während Churchill von ihm schreibt: »Es gibt kein Tier der Schöpfung, das die widerspruchsvollen Eigenschaften Johanns in sich vereint. Er besaß sowohl die Grausamkeit eines abgeklärten Kriegers wie die Schläue und Geschmeidigkeit eines Machiavelli ... Er besaß eine originelle und forschende Denkungsart, und bis zum Ende seines Lebens hat er sich eingehend mit seiner großen Bibliothek beschäftigt. In ihm steigerte sich die ruhelose Energie der Plantagenets zu zügelloser Unbeständigkeit ... Ein gründliches Studium seiner

Taten zeigt, daß Johann großen Scharfsinn besaß, der ihn nie verließ, daß er beharrlich und listig und unbeirrbar entschlossen war, sich bis zum letzten Atemzug auf dem Thron zu behaupten, was ihm denn auch gelang.« Aber Shakespeare war kein Historiker. Er war ein Theatermann und oft ziemlich unbekümmert um die Logik seiner Dramaturgie. In ihm lebte die Vergangenheit als Sage, nicht als Geschichte, sondern als Geschichten, als Stoffe fort, auch wo er sich, wie in seinen Römer-Tragödien, Plutarchs bediente. So machte er denn unbedenklich aus Arthur, wie sein Vorgänger, ein Kind: Durchaus zu meinem Glück, spielte ich doch den Stoff, nicht die Geschichte weiter. Nur so war es mir möglich, Johann durch ein anderes Kind zu stürzen, durch die Geburt eines Kronprinzen; bei Shakespeare steht plötzlich ein erwachsener Prinz Heinrich beim sterbenden Johann, so daß man sich fragt, was jener denn vorher getrieben habe, während in Wirklichkeit Heinrich III. beim Tode seines Vaters neunjährig war. Bemerkenswert ist auch, daß Shakespeare Hubert de Burgh sympathisch zeichnet. Churchill: »Die zweite Persönlichkeit, die aus der unruhigen Szene hervorsticht, ist Hubert de Burgh. Shakespeare, dessen Zauberfinger nacheinander die meisten Gipfel der englischen Geschichte berührt hat und ihnen Glanz und Licht verlieh, damit sie, für alle sichtbar, über das Gebirge der Unordnung hinausragen, hat Hubert in unser Blickfeld gerückt ... Johanns Justitiar, den man mit den Verbrechen und den Torheiten dieser Regierung identifiziert, ... war ein ungewöhnlicher Führer des Widerstands gegen alle, die wider die Monarchie rebellierten. Und gleichzeitig stand er über allen Streitigkeiten als ein unbeirrbarer Streiter für die Rechte Englands.« Shakespeare hielt das Gedächtnis seines Volkes fest. Arthur war für ihn nur eine Episode der Regierenden, sein Schicksal nur ein Vorwand seiner Dramaturgie; er fand als Stoff eine Rührszene vor und benutzte sie unbedenklich – wohl auch unter Zeitdruck stehend –, wie er später Richard III. (einer der wenigen Könige, um den das englische Volk trauerte) nach der Tendenz der damaligen Geschichtsschreibung in ein Ungeheuer verzeichnete (das Richard bei weitem übertreffende Ungeheuer Heinrich VIII. verherrlichte er). Hubert de Burgh lebte offenbar in den historischen Legenden als eine patriotische Figur weiter, die bis auf Churchill nachwirkte. Ich ließ ihn fallen und zog ihn mit der Gestalt des Bastards zusammen: War dieser bei Shakespeare ein bloß grandioser Patriot, wurde er bei mir einer, der versucht, die zu lenken, die herrschen. Nicht daß ich mich über Shakespeare setzen möchte – ich bin nur einer, der seine mißglückteren Spiele in unsere Zeit zu transponieren versucht. Ich fühle mich an keine Sage mehr gebunden. Wo Shakespeare fabuliert, fabuliere ich weiter, noch ungebundener gegenüber einer Tradition, und so denn nach anderen Gesetzen. Gerade der Einfall der elisabethanischen Dramatiker, Arthur auf der Flucht durch einen Unglücksfall umkommen zu lassen, kam meiner Dramaturgie entgegen: ein nicht voraussehbarer Unglücksfall durchkreuzt eine wohldurchdachte Politik. Geschieht bei Shakespeare unfreiwillig, was Johann sich wünscht, Arthurs Tod, geschieht bei mir, was Johann aus politischer Einsicht nicht will, obgleich er es wünscht; eine Einsicht, die ihm freilich der Bastard beibringt. Vermag ich jedoch die dramaturgischen Gründe anzugeben, warum ich die ›Arthur-Story‹ änderte, sind bei Shakespeare und dessen Vorgänger nur Vermutungen möglich. Der ›King John‹ war ein Stoff des Volkstheaters, ohne das Shakespeare nicht denkbar ist: er ist aus ihm hervorgegangen. Sein Publikum wollte vor allem unterhalten werden. Shakespeare benötigte für seine Stoffe so viele Schlachten, weil das Publikum noch an diese Schlachten glaubte; heute sind die Schlachten der Schrecken jedes Regisseurs. Ich habe noch keiner geglaubt, die ich sah. Das Kino ist besser, und auch an dessen Kriegsszenen beginnen wir zu zweifeln. Die Tradition der elisabethanischen Bühne wird den Stoff herausgebildet haben, den Shakespeare und sein möglicher Vorgänger aufgriffen. Für diese Bühne waren die Leiden eines Kindes wirksamer als die Leiden eines jungen Ritters.

Was dagegen den ›Titus Andronicus‹ betrifft, so war ich zuerst der Meinung Hans Matters, die Quellen seien unbekannt. Ich bin bei der Neudurchsicht dieser Tragödie zu einer anderen Meinung gekommen. Sicher steht die Tragödie, wie auch die Tragödien anderer Elisabethaner, unter dem Einfluß Senecas; aber dort ist auch eine Wurzel seines Stoffes zu suchen: in Senecas ›Thyestes‹. Die Enkel des Tantalos, zwei der vielen Söhne des Pelops und der Hippodameia, waren Thyestes und Atreus. Aus Rache, daß Thyestes mit der Frau des Atreus, Aërope, Ehebruch begangen hatte, lockte Atreus Thyestes mit dessen fünf Kindern (bei Seneca sind es nur noch drei) nach Mykene und setzt sie ihm als Speise vor. Wir kennen die Sage aus Goethes ›Iphigenie‹, »Auch ich bin aus Tantalos' Geschlecht«. Bei Shakespeare schlachtet Titus Andronicus aus Rache für die Vergewaltigung seiner Tochter die beiden Söhne der Gotenkönigin und gibt sie ihr zu essen. Aus der Atreus-Sage lassen sich noch weitere Motive ableiten. Die Frage ist, ob der Stoff noch andere Wurzeln aufweist. Es ist Shakespeares erstes Römer-Drama. Namen sind nicht zufällig. Shakespeare suchte einen Namen für einen Helden. Er zog die beiden Namen zusammen, aus ›Thyestes‹ wurde ›Titus‹, der Name eines großen römischen Kaisers, den jedermann kannte, aber daß aus ›Atreus‹ ›Andronicus‹ wurde, ist nicht selbstverständlich. Wenigstens für uns nicht. Aber für Shakespeare? Zwar kommt ein römischer Kaiser Andronicus im Volksbuch des Mittelalters, in den aus dem Mönchslatein in viele Sprachen übersetzten ›Gesta Romanorum‹ vor, ein Buch, das Shakespeare zweifellos kannte, in welchem übrigens auch die Geschichte des ›King Lear‹ zu finden ist: Ein römischer Kaiser Theodosius erleidet mit seinen drei Töchtern das gleiche Schicksal. Doch der Andronicus in den ›Gesta Romanorum‹ ist nicht mehr als ein Name, ohne Andeutung, sein Träger habe ein besonderes Schicksal gehabt. Ferner gibt es in der spätbyzantinischen Geschichte einen Andronikos II. und einen Andronikos III. aus dem Geschlechte der Palaiologen, hilflose

Kaiser eines Kleinstaates. Diese kommen als Quellen nicht in Frage. Es bleibt der oströmische Kaiser Andronikos Komnenos I. Er regierte von 1183 bis 1185. Ostrom war damals noch eine Großmacht. Nach einem Zeitgenossen war er eine so widerspruchsvolle Natur, daß man von ihm sowohl mit größtem Lob als auch mit dem härtesten Tadel sprechen konnte, je nachdem welche Seite man gerade ins Auge faßte. Seine Liebesabenteuer waren berühmt. Er war das einzige Mitglied des byzantinischen Hochadels, das seinem Vetter Kaiser Manuel Komnenos offen entgegentrat. »Nach wiederholten Aussöhnungsversuchen kam es allemal zu neuen Zerwürfnissen. Vor dem Argwohn seines Vetters fliehend, führte Andronikos später jahrelang ein abenteuerliches Wanderleben. Er war Gast am Hofe des russischen Fürsten von Galič und an den Höfen der muslimischen Herrscher Vorderasiens. Aber es war nicht nur persönliche Rivalität, sondern auch ein politischer Gegensatz, der die beiden großen Komnenen trennte. Andronikos war ein Feind der feudalen Aristokraten und ein erbitterter Gegner der westlichen Richtung.« (Einer der Gründe, weshalb zwanzig Jahre nach Andronikos die Kreuzritter Konstantinopel eroberten und plünderten. – Ich folge der Darstellung, die Ostrogorsky in seiner ›Geschichte des byzantinischen Staates‹ von ihm gibt.) Nach dem Tode Manuels wurde dessen zwölfjähriger Sohn Alexios zum Kaiser ausgerufen, damit stürzte die Politik Manuels. Ostrogorsky: »Jetzt entlud sich der Haß der Byzantiner gegen die Lateiner in einem furchtbaren Blutbad (Mai 1182). In blinder Wut stürzte sich die Menge auf die Häuser der in Konstantinopel wohnenden Abendländer. Ihr Hab und Gut wurde ausgeplündert, und wer nicht rechtzeitig geflohen war, wurde in grausamster Weise umgebracht. Das war der Auftakt der Regierung des Andronikos Komnenos. Unter dem Jubel der Bevölkerung feierte er seinen Einzug in Konstantinopel. Zunächst spielte er sich als Retter und Beschützer des jungen Kaisers Alexios II. auf. Der Umtriebe gegen den Staat und den legitimen Kaiser beschuldigt, bestiegen die Gegner des Andronikos das Schafott, unter vielen anderen auch die Kaiserinmutter Maria, deren Todesurteil der junge Alexios selbst unterzeichnen mußte. Erst nachdem so der Boden vorbereitet war, entschloß sich Andronikos, angeblich nur den Bitten des Hofes und des Klerus nachgebend, zur Annahme des Purpurs und ließ sich im September 1183 zum Mitkaiser seines Schützlings krönen. Zwei Monate später wurde aber der unglückliche Junge von den Helfern des Andronikos erdrosselt und seine Leiche in den Meeresfluten versenkt. Dem Legitimitätsprinzip zuliebe vermählte sich der 65 Jahre alte Andronikos mit der 13jährigen Witwe seines ermordeten Neffen, der Tochter Ludwigs VII., Anne ...« – offenbar die Schwester Philipps II., des Gegners von König Johann – » ... Aber wie die Persönlichkeit des Andronikos, so war auch sein staatsmännisches Wirken voll der größten Gegensätze. Er lehnte sich auf gegen die Übel, denen seine Vorgänger die Zügel hatten schießen lassen. Die Übermacht des Adels wollte er mit der Wurzel ausreißen. Da er aber keine anderen Regierungsmethoden anerkannte als die der rücksichtslosen Gewaltanwendung, wurde seine Herrschaft zu einer Kette von Terrorakten, Verschwörungen und Greueltaten. Es ist kein Zweifel und wird auch von seinen Feinden anerkannt, daß seine Maßnahmen in den Provinzen des Reiches eine rasche und ganz handgreifliche Besserung herbeiführten. So manches Gebrechen des alternden Staates, das den Zeitgenossen unheilbar schien, hat er mit eiserner Strenge beseitigt ... Aber in seinem übersteigerten Machtbewußtsein lag eine große Gefahr. Die Herrschaft des Andronikos wurde zu einem Schreckensregiment. Der Kampf gegen den Adel artete in furchtbaren Terror aus. Die rücksichtslosen, stets gewaltsamen, häufig auch infamen Kampfmittel, deren er sich zu bedienen pflegte, entzogen seinem Gerechtigkeitsbestreben den Boden. Gewalt wurde mit Gewalt erwidert. Aufstände und Verschwörungen nahmen kein Ende. Durch den Widerstand gereizt, ging der Kaiser, dessen Jähzorn und Argwohn mit der Zeit geradezu krankhafte Ausmaße annahmen, mit immer größerer Schärfe vor, wodurch er sich

aber nur neue Feinde schuf.« Hatte die Innenpolitik Andronikos' I. gegen den Adel Erfolg, so war er außenpolitisch erfolglos: Die Ungarn eroberten Dalmatien und Teile Kroatiens, verbanden sich mit den Serben und verwüsteten Sofia. Die Normannen eroberten am 24. August 1185 die zweitwichtigste Stadt des Reiches, Thessalonike, und am 12. September wurde Andronikos I. in Konstantinopel durch einen Schwächling, Isaak II., aus der obskuren Familie der Angelos stammend, gestürzt. Niketas Choniates, unter Andronikos Sekretär in der kaiserlichen Kanzlei, schildert das Ende des letzten der Komnenen als Augenzeuge:
»Andronikos wurde also in den Anemasturm gebracht. Man legte um seinen früher so stolzen Nacken zwei schwere Ketten, an denen sonst die eisernen Halsbänder gefangener Löwen hingen, und schloß seine Füße in Fußeisen. So wurde er an die Öffentlichkeit gebracht und Kaiser Isaakios gegenübergestellt. (Isaakios Angelos II. wurde 10 Jahre später von seinem Bruder Alexios III. geblendet.) Dieser gab ihn der allgemeinen Mißhandlung preis. Jeder, der hinzukam, konnte an Andronikus seinen Mutwillen auslassen. Man überschüttete ihn mit Schmähungen, hieb ihn mit Stöcken auf Kopf und Rücken, raufte ihn am Bart, schlug ihm die Zähne ein und riß ihm alle Haare aus. Sogar Frauen mißhandelten ihn und schlugen mit der Faust auf seinen Mund, besonders solche, denen er den Gatten getötet oder geblendet hatte. Dann hieb man Andronikos mit einem Beil die rechte Hand ab und warf ihn wieder in das gleiche Gefängnis, ohne Essen, ohne Trank, ohne die geringste Pflege. Nach einigen Tagen wurde ihm ein Auge ausgestochen. Dann setzte man ihn auf ein räudiges Kamel und führte ihn im Triumph auf dem Marktplatz herum. Er glich einem entblätterten Baum, glatter als ein Ei bot sich sein unbedeckter Schädel den Blicken aller dar und seinen Körper verhüllte nur ein kurzer Fetzen. Es war ein jammervoller Anblick, der fühlenden Augen Tränenströme entlockte. Aber die stumpfsinnigen, ganz und gar ungebildeten Einwohner Konstantinopels,

besonders die Wursthändler und jene, die den ganzen Tag hinter ihrem Kramladen sitzen oder kümmerlich vom Schuhwerk ihr Leben fristen oder mit der Nadel ihr kärgliches Brot verdienen, strömten von überallher hinzu wie Schwärme von Fliegen, die im Frühjahr die Melkeimer umsummen und an den fetten Kübeln saugen (vgl. Homer, ›Ilias‹ 2, 469 ff.). Sie dachten nicht daran, daß dieser Mann noch vor wenigen Tagen Kaiser war, mit der Kaiserkrone gekrönt, als Retter gefeiert, von allen umjubelt und verehrt, sie dachten nicht daran, daß sie ihm mit schauerlichen Eiden Treue und Ergebenheit gelobt hatten, sondern stürzten sich in blinder Wut, ohne Sinn und Verstand auf ihn und fügten ihm jede erdenkliche Mißhandlung zu. Die einen schlugen ihn mit Knüppeln auf den Kopf, andere steckten ihm Mist in die Nase oder tauchten Schwämme in den Urin von Rindern und Menschen und drückten sie über sein Gesicht aus, andere wieder führten häßliche Reden und beschimpften seine Mutter und seine übrigen Vorfahren, einige stachen ihn sogar mit Bratspießen zwischen die Rippen oder warfen schamlos mit Steinen nach ihm und nannten ihn einen tollwütigen Hund. Eine freche Dirne holte einen Topf mit heißem Wasser aus der Küche und leerte ihn über seine Wangen. Es gab niemanden, der Andronikos nicht mißhandelt hätte. So wurde Andronikos schmählich in einem lächerlichen Umzug, auf dem Rücken eines Kamels elendiglich dem Spott preisgegeben, in das Theater (das Hippodrom) gebracht und mit einem Bastseil an den Füßen aufgehängt, und zwar an die Säulen, die, oben mit einem steinernen Balken verbunden, neben zwei ehernen Bildwerken stehen. Diese stellen eine Wölfin und eine Wildsau dar, die mit gesenktem Nacken einander zornig und wildschnaubend anblicken. Trotz so vieler Leiden und noch unzähliger anderer, die ich gar nicht erwähne, benahm sich Andronikos dem Grauenhaften gegenüber, das ihm widerfuhr, mannhaft und vornehm, er war auch noch bei vollem Bewußtsein. Zu seinen Bedrängern gewendet, sagte er nichts anderes als: ›Herr, erbarme dich!‹

und ›Warum zerbrecht ihr ein geknicktes Rohr?‹ (vgl. Isaias 42,3). Selbst als Andronikos schon an den Füßen aufgehängt war, ließ der hirn- und herzlose Pöbel nicht von dem Vielduldenden ab und schonte nicht seinen Leib, sondern sie rissen Andronikos das Kleid herunter und mißhandelten seine Zeugungsglieder. Ein ruchloser Kerl bohrte ihm ein langes Schwert durch den Schlund in die Eingeweide, und einige Lateiner trieben mit beiden Händen ein Krummschwert in seinen After, um zu schauen, wessen Waffe schärfer sei. So standen sie, der eine hier, die anderen dort, und drückten an ihren Waffen und rühmten die Geschicklichkeit ihrer Hand und die Gewichtigkeit ihres Stiches. Unter so vielen Drangsalen und Leiden gab Andronikos endlich qualvoll seinen Geist auf. Er streckte schmerzlich seinen rechten Arm aus und führte ihn so zum Mund, daß die meisten glaubten, er wolle das aus dem Stumpf hervortropfende Blut – die Hand war ihm ja erst vor kurzem abgeschlagen worden – aussaugen.« Ich kann mir nun schwer vorstellen, daß Shakespeare den Bericht des Augenzeugen über den Tod Andronikos' I. kannte. Aber es gibt nicht nur die Überlieferung der Historiker. Wir wissen wenig vom geheimen Strom der Phantasie, in welchem die Geschichten der Geschichte dahintreiben, mit anderen verschmelzen und verwandelt werden. Was mich reizte, war nicht die Suche nach Quellen, sondern die Vermutung, daß die Erinnerung an das einmal Geschehene länger dauert, als wir glauben. Wirklich vergessen bleibt vielleicht nichts, auch wenn wir vom Vergessen leben. Was mich bewegte, war, daß die Geschichte des Andronikos Komnenos I. sich fast zur gleichen Zeit abspielt wie die Geschichte König Johanns. Als das Volk von Konstantinopel Andronikos zerfleischte, war Arthur 6 Jahre alt, und wenige Jahre später durchzog Richard Löwenherz mit Friedrich Barbarossa das byzantinische Kaiserreich. Unwillkürlich werde ich an die Worte des so seltsamen und bedrohlichen Schriftstellers aus Providence, Rhode-Island, USA, H. P. Lovecraft erinnert, der einmal schrieb: »Die größte Gnade auf dieser Welt ist, so scheint es mir, das Nichtvermögen des menschlichen Geistes, all ihre inneren Geschehnisse miteinander in Verbindung zu bringen. Wir leben auf einem friedlichen Eiland des Unwissens inmitten schwarzer Meere der Unendlichkeit, und es ist uns nicht bestimmt, diese Welt weit zu bereisen. Die Wissenschaften – deren jede in eine eigene Richtung zielt – haben uns bis jetzt wenig gekümmert; aber eines Tages wird das Zusammenfügen der einzelnen Erkenntnisse so erschreckende Aspekte der Wirklichkeit eröffnen, daß wir durch diese Enthüllung entweder dem Wahnsinn verfallen oder aus dem tödlichen Licht in den Frieden und die Sicherheit eines neuen dunklen Zeitalters fliehen werden.«

Geschrieben 1980 für die vorliegende Ausgabe.

Zu den vorliegenden Fassungen von ›König Johann‹ und ›Titus Andronicus‹

In der letzten Szene des *König Johann* habe ich nachträglich die letzten Worte des Bastards

»Und senke in das Volk die Kraft des Löwen!
Nur so ist diesem England noch zu helfen.«

abgeändert. Mein Vertrauen in das Volk ist in letzter Zeit zu arg erschüttert worden; schon das Wort ›Volk‹ ist politisch so zweideutig geworden, daß es kaum anständig verwendet werden kann. Beim *Titus Andronicus* habe ich die erste Szene der Baudissinschen Übersetzung gelassen, um das Stück gleichsam auf Shakespearischen Kothurnen daherschreiten zu lassen.

Geschrieben 1980 für die vorliegende Ausgabe.

William Shakespeare
›König Johann‹. Vierter Aufzug. Erste Szene

Northampton. Ein Zimmer in der Burg.
Hubert und zwei Aufwärter treten auf

HUBERT
Glüh mir die Eisen heiß, und stell du dann
Dich hinter die Tapete; wenn mein Fuß
Der Erde Busen stampft, so stürzt hervor
Und bind't den Knaben, den ihr bei mir trefft,
Fest an den Stuhl. Seid achtsam! Fort und lauscht!

ERSTER AUFWÄRTER
Ich hoff, Ihr habt die Vollmacht zu der Tat.

HUBERT
Unsaubre Zweifel! Fürchtet nichts, paßt auf!

Aufwärter ab.

Kommt, junger Bursch, ich hab Euch was zu sagen.

Artur tritt auf.

ARTUR
Guten Morgen, Hubert.

HUBERT
Guten Morgen, kleiner Prinz.

ARTUR
So, kleiner Prinz, mit solchem großen Anspruch,
Mehr Prinz zu sein, als möglich. Ihr seid traurig.

HUBERT
Fürwahr, ich war schon lustger.

ARTUR

Liebe Zeit!
Mich dünkt, kein Mensch kann traurig sein als ich:
Doch weiß ich noch, als ich in Frankreich war,
Gab's junge Herrn, so traurig wie die Nacht,
Zum Spaße bloß. Bei meinem Christentum!
Wär ich nur frei und hütete die Schafe.
So lang der Tag ist, wollt ich lustig sein.
Und das wollt ich auch hier, besorgt ich nicht,
Daß mir mein Oheim noch mehr Leid will tun.
Er fürchtet sich vor mir und ich vor ihm;
Ist, daß ich Gottfrieds Sohn war, meine Schuld?
Nein, wahrlich nicht: und, Hubert, wollte Gott,
Ich wär Eur Sohn, wenn Ihr mich lieben wolltet.

HUBERT *beiseite*

Red ich mit ihm, so wird sein schuldlos Plaudern
Mein Mitleid wecken, das erstorben liegt:
Drum will ich rasch sein und ein Ende machen.

ARTUR

Seid Ihr krank, Hubert? Ihr seht heute blaß:
Im Ernst, ich wollt, Ihr wärt ein wenig krank,
Daß ich die Nacht aufbliebe, bei Euch wachte.
Gewiß, ich lieb Euch mehr, als Ihr mich liebt.

HUBERT

Sein Reden nimmt Besitz von meinem Busen. –
Lies, junger Artur! – *Zeigt ihm ein Papier. Beiseite*
Nun, du töricht Wasser?
Du treibst die unbarmherzge Marter aus?
Ich muß nur kurz sein, daß Entschließung nicht
Dem Aug entfall in weichen Weibestränen. –
Könnt Ihr's nicht lesen? Ist's nicht gut geschrieben?

ARTUR

Zu gut zu solcher schlimmen Absicht, Hubert.
Müßt Ihr mir ausglühn meine beiden Augen
Mit heißem Eisen?

HUBERT

Junger Knab, ich muß.

ARTUR

Und wollt Ihr?

HUBERT

Und ich will.

ARTUR

Habt Ihr das Herz? Als Euch der Kopf nur schmerzte,
So band ich Euch mein Schnupftuch um die Stirn,
Mein bestes, eine Fürstin stickt' es mir,
Und niemals fordert ich's Euch wieder ab;
Hielt mit der Hand den Kopf Euch mitternachts,
Und wie der Stunde wachsame Minuten
Ermuntert ich die träge Zeit beständig,
Frug bald: »Was fehlt Euch?« und: »Wo sitzt der Schmerz?«
Und bald: »Was kann ich Euch für Liebes tun?«
Manch armen Mannes Sohn hätt still gelegen
Und nicht ein freundlich Wort zu Euch gesagt;
Doch Euer Krankenwärter war ein Prinz.
Ihr denkt vielleicht, das war nur schlaue Liebe,
Und nennt es List? Tut's, wenn Ihr wollt; gefällt es
Dem Himmel, daß Ihr mich mißhandeln müßt,
So müßt Ihr. – Wollt Ihr mir die Augen blenden?
Die Augen, die kein einzig Mal Euch scheel
Ansahn, noch ansehn werden?

HUBERT

Ich hab's geschworen,
Und ausglühn muß ich sie mit heißem Eisen.

ARTUR

Ach! niemand tät es, wär die Zeit nicht eisern.
Das Eisen selbst, obschon in roter Glut
Genaht den Augen, tränke meine Tränen
Und löschte seine feurige Entrüstung
In dem Erzeugnis meiner Unschuld selbst;
Ja, es verzehrte sich nachher in Rost,

Bloß weil sein Feuer mir das Aug verletzt.
Seid Ihr denn härter als gehämmert Eisen?
Und hätte mich ein Engel auch besucht
Und mir gesagt, mich werde Hubert blenden,
Ich hätt ihm nicht geglaubt: niemand als Euch.

HUBERT *stampft*
Herbei!

Aufwärter kommen mit Eisen, Stricken usw.

HUBERT
Tut, wie ich Euch befahl.

ARTUR
O helft mir, Hubert! helft mir! Meine Augen
Sind aus schon von der blutgen Männer Blicken.

HUBERT
Gebt mir das Eisen, sag ich, bindet ihn.

ARTUR
Was braucht ihr, ach! so stürmisch rauh zu sein?
Ich will nicht sträuben, ich will stockstill halten.
Um's Himmels willen, Hubert! nur nicht binden!
Nein hört mich Hubert, jagt die Männer weg,
Und ich will ruhig sitzen wie ein Lamm;
Will mich nicht rühren, nicht ein Wörtchen sagen,
Noch will ich zornig auf das Eisen sehn.
Treibt nur die Männer weg, und ich vergeb Euch,
Was Ihr mir auch für Qualen antun mögt.

HUBERT
Geht! tretet ab, laßt mich allein mit ihm!

ERSTER AUFWÄRTER
Ich bin am liebsten fern von solcher Tat.

Aufwärter ab.

ARTUR
O weh: so schalt ich meinen Freund hinweg.
Sein Blick ist finster, doch sein Herz ist mild. –

Ruft ihn zurück, damit sein Mitleid Eures
Beleben mag.

HUBERT
Komm, Knabe, mach dich fertig.

ARTUR
So hilft denn nichts?

HUBERT
Nichts, als dich blenden lassen.

ARTUR
O Himmel! säß Euch was im Auge nur,
Ein Korn, ein Stäubchen, eine Mück, ein Haar,
Was irgend nur den edlen Sinn verletzt!
Dann fühltet Ihr, wie da das Kleinste tobt,
Müßt Euch die schnöde Absicht greulich scheinen.

HUBERT
Verspracht Ihr das? Still! haltet Euren Mund!

ARTUR
Hubert, die Rede zweier Zungen spräche
Noch nicht genugsam für ein Paar von Augen,
Laßt mich den Mund nicht halten, Hubert, nein!
Und wollt Ihr, schneidet mir die Zunge aus,
Wenn ich die Augen nur behalten darf.
O schonet meine Augen! sollt ich auch
Sie nie gebrauchen, als Euch anzuschaun.
Seht, auf mein Wort! das Werkzeug ist schon kalt
Und würde mir kein Leid tun.

HUBERT
Ich kann's glühen, Knabe.

ARTUR
Nein, wahrlich nicht – das Feuer starb vor Gram,
Daß es, bestimmt zum Wohltun, dienen soll
Zu unverdienten Qualen. Seht nur selbst!
Kein Arges ist in dieser glühnden Kohle,
Des Himmels Odem blies den Geist ihr aus
Und streute Asche auf ihr reuig Haupt.

HUBERT

Mein Odem kann sie neu beleben, Knabe.

ARTUR

Wenn Ihr das tut, macht Ihr sie nur erröten
Und über Eur Verfahren glühn vor Scham.
Ja, sie würd Euch vielleicht ins Auge sprühn
Und wie ein Hund, den man zum Kampfe zwingt,
Nach seinem Meister schnappen, der ihn hetzt.
Was Ihr gebrauchen wollt, mir weh zu tun,
Versagt den Dienst; nur Euch gebricht das Mitleid,
Das wildes Feuer und Eisen hegt, Geschöpfe,
Zu unbarmherzgen Zwecken ausersehn.

HUBERT

Gut, sieh und leb! Ich rühr dein Aug nicht an
Für alle Schätze, die dein Oheim hat.
Doch schwur ich darauf und war entschlossen, Knabe,
Mit diesem Eisen hier sie auszubrennen.

ARTUR

Nun seht Ihr aus wie Hubert! All die Zeit
Wart Ihr verkleidet.

HUBERT

Still! nichts mehr! Lebt wohl!
Eur Oheim darf nicht wissen, daß Ihr lebt;
Ich will die Spürer mit Gerüchten speisen,
Und, holdes Kind, schlaf sorgenlos und sicher,
Daß Hubert für den Reichtum aller Welt
Kein Leid dir tun will.

ARTUR

O Himmel! Dank Euch, Hubert!

HUBERT

Nichts weiter! Still, hinein, begleitet mich!
In viel Gefahr begeb ich mich für dich.

Beide ab.

Friedrich Dürrenmatt
›Titus Andronicus‹.
Anfang der ersten Szene (ursprüngliche Fassung).

1. Rom. Vor dem Kapitol

Saturninus, Bassianus und Marcus Andronicus treten an die Rampe.

SATURNINUS Patrizier,
Verteidigt meinen Anspruch mit dem Schwert:
Ich bin des Kaisers erstgeborner Sohn
Und folge meines Vaters Würde nach.
Wählt mich und, wird mein Bruder Bassian
Gewählt, stecht dieses geile Schwein gleich ab.
BASSIANUS Mitbürger,
Ich bin des Kaisers zweitgeborner Sohn,
Mich liebte er, Saturninus war ihm verhaßt.
Versperrt das Tor des Kapitols
Und duldet nicht, daß auf dem Kaisersitz
Mein fauler Bruder seine Humpen leert.
Und wird er doch gewählt, macht ihn gleich nieder.
MARCUS ANDRONICUS Prinzen,
Ihr beide habt ein Recht, gewählt zu werden,
Denn beide seid ihr Cäsars edle Söhne.
Doch einen Kaiser vorzuschlagen
Ist Recht auch des Senats, und der schlägt vor:
Die Goten sind gezähmt, der Sieg ist unser
Für alle Zeiten, Titus kehrt zurück,
Andronicus, den man den Frommen nennt.
Der größte Krieger unseres großen Reichs

Sei Kaiser Roms, die Macht gehöre ihm,
Denn hätten wir nicht ihn, uns hätten die Barbaren.

SATURNINUS

Kaum kommt ein Held, enteilt schon die Vernunft.

MARCUS ANDRONICUS

Wenn Friede herrscht, herrscht wieder das Gesetz.

BASSIANUS

Marcus Andronicus, ich vertraue dir.
Ihr Bürger, kehrt zurück, ihr seid entlassen.
Den Bürgern sei die Wahl und dem Senat.

SATURNINUS

Patrizier, geht heim.
Wer wählen darf, wird mich zum Kaiser wählen.

MARCUS ANDRONICUS

Ihr Prinzen, kommt ins Kapitol.

Die drei ab. Die Söhne des Titus Andronicus, Mutius, Marcius, Quintus und Lucius, treten auf, einen schwarzverhängten Sarg tragend. Dann tritt Titus Andronicus auf, geführt von Lavinia. Darauf kommt die gefangene Königin der Goten, Tamora. Mit ihr kommen ihre Söhne Alarbus, Chiron und Demetrius, endlich der Mohr Aaron, alle in Ketten.

Friedrich Dürrenmatt im Diogenes Verlag

● **Das dramatische Werk**
in 17 Bänden:

Es steht geschrieben / Der Blinde
Frühe Stücke. detebe 250/1

Romulus der Große
Ungeschichtliche historische Komödie. Fassung 1980. detebe 250/2

Die Ehe des Herrn Mississippi
Komödie und Drehbuch. Fassung 1980. detebe 250/3

Ein Engel kommt nach Babylon
Fragmentarische Komödie. Fassung 1980. detebe 250/4

Der Besuch der alten Dame
Tragische Komödie. Fassung 1980. detebe 250/5

Frank der Fünfte
Komödie einer Privatbank. Fassung 1980. detebe 250/6

Die Physiker
Komödie. Fassung 1980. detebe 250/7

Herkules und der Stall des Augias
Der Prozeß um des Esels Schatten
Griechische Stücke. Fassung 1980. detebe 250/8

Der Meteor / Dichterdämmerung
Nobelpreisträgerstücke. Fassung 1980. detebe 250/9

Die Wiedertäufer
Komödie. Fassung 1980. detebe 250/10

König Johann / Titus Andronicus
Shakespeare-Umarbeitungen. detebe 250/11

Play Strindberg / Porträt eines Planeten
Übungsstücke für Schauspieler. detebe 250/12

Urfaust / Woyzeck
Bearbeitungen. detebe 250/13

Der Mitmacher
Ein Komplex. detebe 250/14

Die Frist
Komödie. Fassung 1980. detebe 250/15

Die Panne
Hörspiel und Komödie. detebe 250/16

Nächtliches Gespräch mit einem verachteten Menschen / Stranitzky und der Nationalheld / Das Unternehmen der Wega
Hörspiele und Kabarett. detebe 250/17

● **Das Prosawerk**
in 12 Bänden:

Aus den Papieren eines Wärters
Frühe Prosa. detebe 250/18

Der Richter und sein Henker
Der Verdacht
Kriminalromane. detebe 250/19

Der Hund / Der Tunnel / Die Panne
Erzählungen. detebe 250/20

Grieche sucht Griechin / Mr. X macht Ferien / Nachrichten über den Stand des Zeitungswesens in der Steinzeit
Grotesken. detebe 250/21

Das Versprechen / Aufenthalt in einer kleinen Stadt
Ein Requiem auf den Kriminalroman und ein Fragment. detebe 250/22

Der Sturz / Abu Chanifa und Anan Ben David / Smithy / Das Sterben der Pythia
Erzählungen. detebe 250/23

Theater
Essays, Gedichte und Reden. detebe 250/24

Kritik
Kritiken und Zeichnungen. detebe 250/25

Literatur und Kunst
Essays, Gedichte und Reden. detebe 250/26

Philosophie und Naturwissenschaft
Essays, Gedichte und Reden. detebe 250/27

Politik
Essays, Gedichte und Reden. detebe 250/28

Zusammenhänge/Nachgedanken
Essay über Israel. detebe 250/29

Außerdem liegt vor:
Über Friedrich Dürrenmatt
Essays, Aufsätze, Zeugnisse und Rezensionen von Gottfried Benn bis Saul Bellow. Chronik und Bibliographie. Herausgegeben von Daniel Keel. detebe 250/30

● Das zeichnerische Werk

Bilder und Zeichnungen
Mit einer Einleitung von Manuel Gasser und Kommentaren des Künstlers. Diogenes Kunstbuch

Die Heimat im Plakat
Ein Buch für Schweizer Kinder. Zeichnungen. Mit einem Geleitwort des Künstlers. kunst-detebe 26

William Shakespeare
Dramatische Werke in zehn Bänden

In der Übersetzung von Schlegel/Tieck. Als Vorlage dient die Edition von Hans Matter. Jeder Band mit einer editorischen Notiz des Herausgebers und Illustrationen von Heinrich Füßli aus der Ausgabe von 1805.

Romeo und Julia / Hamlet Othello
detebe 200/1

König Lear / Macbeth / Timon von Athen
detebe 200/2

Julius Cäsar / Antonius und Cleopatra / Coriolanus
detebe 200/3

Verlorne Liebesmüh / Die Komödie der Irrungen / Die beiden Veroneser / Der Widerspenstigen Zähmung
detebe 200/4

Ein Sommernachtstraum / Der Kaufmann von Venedig / Viel Lärm um nichts / Wie es euch gefällt / Die lustigen Weiber von Windsor
detebe 200/5

Ende gut, alles gut / Was ihr wollt Troilus und Cressida / Maß für Maß
detebe 200/6

Cymbeline / Das Wintermärchen Der Sturm
detebe 200/7

Heinrich der Sechste / Richard der Dritte
detebe 200/8

Richard der Zweite / König Johann / Heinrich der Vierte
detebe 200/9

Heinrich der Fünfte / Heinrich der Achte / Titus Andronicus
detebe 200/10

Außerdem liegen vor:

Shakespeare's Sonette
Deutsch und englisch. Nachdichtung von Karl Kraus. Statt eines Nachworts ein Essay von Karl Kraus aus der *Fackel:* »Sakrileg an George oder Sühne an Shakespeare?«
detebe 137

Shakespeare's Geschichten
Alle Stücke von William Shakespeare nacherzählt von Walter E. Richartz und Urs Widmer. Mit vielen Bildern von Kenny Meadows. In zwei Bänden. detebe 220/1–2

Klassiker im Diogenes Verlag

● **Angelus Silesius**
Der cherubinische Wandersmann
Auswahl und Einleitung von Erich Brock. detebe 204

● **Honoré de Balzac**
Die Menschliche Komödie
in 40 Bänden. Deutsch von Walter Benjamin, Franz Hessel, Paul Zech u.a. detebe 130/1–40

● **Charles Baudelaire**
Die Tänzerin Fanfarlo und Der Spleen von Paris
Sämtliche Prosadichtungen. Deutsch von Walther Küchler. detebe 144

● **James Boswell**
Dr. Samuel Johnson
Eine Biographie. Deutsch von Fritz Güttinger. detebe 224

● **Ulrich Bräker**
Leben und Schriften
in 2 Bänden. Herausgegeben von Samuel Voellmy und Heinz Weder.
detebe 195/1–2

● **Wilhelm Busch**
Studienausgabe
in 7 Bänden. Herausgegeben von Friedrich Bohne. detebe 60/1–7

● **Anton Čechov**
Das erzählende Werk
Das dramatische Werk – Briefe.
Alle in der Neuedition und -übersetzung von Peter Urban. detebe 50/1–8, 50/11–20

● **Das Diogenes Lesebuch klassischer deutscher Erzähler**
Band I:
Geschichten von Wieland bis Kleist.

Band II:
Geschichten von Eichendorff bis zu den Brüdern Grimm.

Band III:
Geschichten von Mörike bis Busch.

Alle drei Bände herausgegeben von Christian Strich und Fritz Eicken. detebe 208/1–3

● **Meister Eckehart**
Deutsche Predigten und Traktate.
Herausgegeben von Josef Quint. detebe 202

● **Gustave Flaubert**
Werke – Briefe – Materialien
in 8 Bänden. Jeder Band mit einem Anhang zeitgenössischer Rezensionen.
detebe 210/1–6, 211, 143

● **Franz von Assisi**
Die Werke
Edition und Übersetzung von Wolfram von den Steinen. detebe 201

● **Iwan Gontscharow**
Ein Monat Mai in Petersburg
Ausgewählte Erzählungen. Deutsch von Johannes von Guenther und Erich Müller-Kamp. detebe 173

● **Jeremias Gotthelf**
Ausgewählte Werke
in 12 Bänden. Herausgegeben von Walter Muschg. detebe 170/1–12

● **Heinrich Heine**
Gedichte
Ausgewählt, eingeleitet und kommentiert von Ludwig Marcuse. detebe 139

● **Homer**
Ilias und *Odyssee*
Übersetzung von Heinrich Voss. Edition von Peter Von der Mühll. detebe 217/1–2

● **Gottfried Keller**
Zürcher Ausgabe
in 8 Bänden. Edition von Gustav Steiner. detebe 160/1–8

● Herman Melville

Moby-Dick
Roman. Deutsch von Thesi Mutzenbecher und Ernst Schnabel. detebe 142

Billy Budd
Erzählung. Deutsch von Richard Moering. detebe 226

● Molière

Komödien
Neuübersetzung von Hans Weigel. detebe 95/1–7

● Edgar Allan Poe

Der Untergang des Hauses Usher
Ausgewählte Erzählungen und sämtliche Detektivgeschichten. Deutsch von Gisela Etzel. detebe 105

● Arthur Schopenhauer

Zürcher Ausgabe
in 10 Bänden nach der historisch-kritischen Ausgabe von Arthur Hübscher. Editorische Materialien von Angelika Hübscher. detebe 140/1–10

● William Shakespeare

Dramatische Werke
in 10 Bänden. Übersetzung von Schlegel/Tieck. Edition von Hans Matter. Illustrationen von Heinrich Füßli. detebe 200/1–10

● R. L. Stevenson

Werke
in 12 Bänden. Edition und Übersetzung von Curt und Marguerite Thesing. detebe 199/1–2

● Teresa von Avila

Die innere Burg
Edition und Übersetzung von Fritz Vogelsang. detebe 203

● Henri David Thoreau

Walden oder Leben in den Wäldern
Deutsch von Emma Emmerich und Tatjana Fischer. detebe 19/1

Über die Pflicht zum Ungehorsam gegen den Staat
Ausgewählte Essays. Deutsch von Walter E. Richartz. detebe 19/2

● Jules Verne

Die Hauptwerke
ungekürzt, originalgetreu, mit allen Stichen der französischen Erstausgabe. Bisher liegen vor: detebe 64/1–19

● Oscar Wilde

Der Sozialismus und die Seele des Menschen
Ein Essay. Deutsch von Gustav Landauer und Hedwig Lachmann. detebe 3

Dubliner Trilogie. Der Schatten eines Rebellen / Juno und der Pfau / Der Pflug und die Sterne. Aus dem Englischen von Maik Hamburger, Adolf Dresen, Volker Canaris und Dieter Hildebrandt. detebe 2/2

In Vorbereitung:
Das Sean O'Casey Lesebuch
Eine Auswahl aus den Stücken, der Autobiographie und den Essays von Sean O'Casey. Herausgegeben von Urs Widmer. Mit einem Vorwort von Heinrich Böll und einem Nachwort von Klaus Völker

● Federico Fellini

Werkausgabe der Drehbücher und Schriften. Herausgegeben von Christian Strich. Die Drehbuchbände enthalten zusätzlich das Treatment, Äußerungen Fellinis zum Film und zahlreiche Szenenfotos.
Roma. Aus dem Italienischen von Toni Kienlechner. Mit 50 Fotos. detebe 55/1
Das süße Leben. Deutsch von Bettina und Toni Kienlechner und Eva Rechel-Mertens. Mit 57 Fotos. detebe 55/2
8½. Deutsch von Toni Kienlechner und Eva Rechel-Mertens. Mit 52 Fotos. detebe 55/3
Julia und die Geister. Deutsch von Toni und Bettina Kienlechner und Margaret Carroux. Mit 66 Fotos. detebe 55/4
Amarcord. Deutsch von Georg-Ferdinand von Hirschau, Eva Rechel-Mertens und Thomas Bodmer. Mit 62 Fotos. detebe 55/5
Casanova. Deutsch von Inez De Florio-Hansen und Dieter Schwarz. Mit 54 Fotos. detebe 55/7
La Strada. Mit einem eigens für diese deutsche Erstausgabe geschriebenen Vorwort von Fellini. Deutsch von Georg-Ferdinand von Hirschau, Thomas Bodmer und Dieter Schwarz. Mit 55 Fotos. detebe 55/8
Die Nächte der Cabiria. Mit einem eigens für diese deutsche Erstausgabe geschriebenen Vorwort von Fellini. Deutsch von Olga Gloor und Dieter Schwarz. Mit 53 Fotos. detebe 55/9
I Vitelloni. Deutsch von Georg-Ferdinand von Hirschau, Thomas Bodmer und Dieter Schwarz. Mit 56 Fotos. detebe 55/10
Orchesterprobe. Deutsch von Trude Fein. Mit 50 Fotos. detebe 55/11
Satyricon. Deutsch von Dieter Schwarz u.a. detebe 55/12
Die Stadt der Frauen. Deutsch von Beatrice Schlag. detebe 55/13

In Vorbereitung:
Lichter des Varietés – Der Weiße Scheich – Eine Agentur für Heiratsvermittlung – Il Bidone – Die Versuchungen des Dottor Antonio – Toby Dammit – Die Clowns – Interviews – Fellinis Faces

● Friedrich Dürrenmatt

Dramatische Werke in 17 Bänden
Es steht geschrieben / Der Blinde
Frühe Stücke. detebe 250/1
Romulus der Große. Ungeschichtliche historische Komödie. Fassung 1980. detebe 250/2
Die Ehe des Herrn Mississippi. Komödie und Drehbuch. Fassung 1980. detebe 250/3
Ein Engel kommt nach Babylon. Fragmentarische Komödie. Fassung 1980. detebe 250/4
Der Besuch der alten Dame. Tragische Komödie. Fassung 1980. detebe 250/5
Frank der Fünfte. Komödie einer Privatbank. Fassung 1980. detebe 250/6
Die Physiker. Komödie. Fassung 1980. detebe 250/7
Herkules und der Stall des Augias / Der Prozeß um des Esels Schatten. Griechische Stücke. Fassung 1980. detebe 250/8
Der Meteor / Dichterdämmerung
Nobelpreisträgerstücke. Fassung 1980. detebe 250/9
Die Wiedertäufer. Komödie. Fassung 1980. detebe 250/10
König Johann / Titus Andronicus. Shakespeare-Umarbeitungen. detebe 250/11
Play Strindberg / Porträt eines Planeten
Übungsstücke für Schauspieler. detebe 250/12
Urfaust / Woyzeck. Bearbeitungen. detebe 250/13
Der Mitmacher. Ein Komplex. detebe 250/14
Die Frist. Komödie. Fassung 1980. detebe 250/15
Die Panne. Hörspiel und Komödie. detebe 250/16
Nächtliches Gespräch mit einem verachteten Menschen / Stranitzky und der Nationalheld
Das Unternehmen der Wega. Hörspiele und Kabarett. detebe 250/17

● Woody Allen

Manhattan. Vollständiges Drehbuch. Aus dem Amerikanischen von Armgard Seegers und Hellmuth Karasek. Mit Fotos. detebe 225/1
Der Stadtneurotiker. Vollständiges Drehbuch. Deutsch von Eckhard Henscheid. Mit Fotos. detebe 225/2

Interiors. Vollständiges Drehbuch. Deutsch von Armgard Seegers und Hellmuth Karasek. Mit Fotos. detebe 225/3

● Urs Widmer

Die lange Nacht der Detektive. Kriminalstück in drei Akten. Mit einem Vorwort des Autors. detebe 39/2
Nepal. Stück in der Basler Umgangssprache. Mit der Frankfurter Fassung von Karlheinz Braun im Anhang. detebe 39/5
Züst oder die Aufschneider. Ein Traumspiel. Hochdeutsche und schweizerdeutsche Fassung. detebe 39/7

● Otto Jägersberg

Land. Ein Lehrstück für Bauern und Leute, die nichts über die Lage auf dem Land wissen. detebe 180/1
Seniorenschweiz. Reportage unserer Zukunft. detebe 180/3
Der industrialisierte Romantiker. Reportage einer Reportage über Planung, Bau und Einweihung eines Chemiewerks. detebe 180/4